晚邨先生
續集

晚邨先生

續集

呂晚村先生續集目錄

曾孫爲景編輯

呂晚村先生續集目錄

曾孫爲景編輯

呂晚村先生續集卷一

宋詩鈔列傳

小畜集

王禹偁字元之濟州鉅野人九歲能文太平興國八年進士授成武主簿徙知長洲縣端拱初召試擢右拾遺直史館拜左司諫知制誥坐劾妖尼貶商州團練使量移解州進拜左正言直弘文館出知單州尋召爲禮部員外郎再知制誥至道元年入翰林爲學士知審官院兼通進銀臺封駁司又坐謗訕罷爲工部郎中知滁州揚州召還知制誥又坐實錄直書出

知黃州徙蘄州而卒年四十八今有小畜集六十二卷紹興丁卯沈虞卿所編也當時元之自編按其序則三十卷宋史言二十卷脫誤也元之詩學李杜故其贈朱巖詩云誰憐所好還同我韓柳文章李杜詩學杜而未至故其示子詩云本與樂天爲後進敢期子美是前身是時西崑之體方盛元之獨開有宋風氣於是歐陽文忠得以承流接響文忠之詩雄深過於元之然元之固其濫觴矣穆修尹洙爲古文於人所不爲之時元之則爲杜詩於人所不爲之時者也

騎省集

徐鉉字鼎臣會稽人與弟鍇未弱冠以文行稱仕南唐三主歷官至吏部尚書右僕射機命制誥咸出其手文章議論與韓熙載齊名宋問罪江南請使見太祖乞存辨論不屈太祖亦嘉禮之後隨後主歸宋授太子率更令改左散騎常侍累封東海郡開國侯檢校工部尚書卒年七十六精於篆隸脩許氏說文自撰韻譜江南馮延巳曰凡人爲文皆事奇語不爾則不足觀惟徐公率意而成自造精極詩冶衍遒麗具元和風律而無洪涊纖阿之習初嗣主以讒貶移饒州適周世宗兵過淮鉉卽榜小舟歸昇州賦詩有云一夜黃星燬官渡本朝何面見田豐其伉直如此大梁以後氣稍衰苶矣蓋情欝爲聲悽楚宛折則難言之意多焉

安陽集

韓琦字稚圭相州安陽人弱冠舉進士名在第二方唱名太史奏日下五色雲見累官至右僕射侍中歷儀衛魏三國公出備兩鎮輔三朝立二帝決大策安社稷制西夏出入將相事具史傳不載卒年六十八大星隕於治所櫪馬皆驚單贈尚書令謚忠獻詩率臆得之而意思深長有鍛鍊所不及理趣流露皆賢

相識度其題劉御藥畫册語云觀畫之術維逼眞而已得眞之全者純也得多者上也非眞即下矣人謂此術不獨觀畫即可觀人物竊謂惟詩亦然魏公勳業彪炳直無暇於筆墨爭長然語窺閫奧無他此道得也

滄浪集

蘇舜欽字子美　人以父任補太廟齋郎調滎陽尉舉進士改光祿寺主簿知長垣縣遷大理評事監在京店宅務以范仲淹薦名試集賢校理監進奏院舜欽所論侵權貴而婦父杜衍與仲淹富弼在政府爲時忌會進奏院祠神宴會不與者銜劾舜欽用鬻故紙公錢名妓樂醉歌狂悖因欲揺動衍等舜欽坐除名後爲湖州長史卒年四十一既廢居蘇州買水石作滄浪亭益讀書時發憤懣於歌詩善草書酣酒落筆往往驚人與梅堯臣齊名時稱蘇梅劉後村謂其歌行雄放於聖俞軒昻不羈如其爲人及蟠屈爲吳體則極平夷妥帖蓋宋初始爲大雅於古朴中具灝落渟蓄之妙二家所同擅而梅之深遠閒淡蘇之超邁横絶則又各出機杼永叔所謂不能優劣者也至情忠惻而議論當理要又非詩人粗豪

一流所比詩有云筆下驅古風直趨聖所存又曰會將趨古淡先可去浮巋其本領卓越如此

乘崖集

張詠字復之濮州鄄城人舉進士知崇陽縣歷官樞密直學士知成都益州禮部尚書其治績多在蜀中具載史傳剛直自立智識深遠有澤被天下之心尤博典籍雖卜筮醫藥種植之書無不精究自少得劍術無敵於兩河開善奕棊精射法飲酒至數斗不亂惡人諂事不喜俗禮因自號乖崖子寫眞自贊曰乖則違衆崖不利物乖崖之名聊以表德嘗訪三峰陳

希夷摶摶顧謂弟子曰此人於名利淡然無情達則爲公卿不達則爲帝王師其爲高人推重如此幼與青州傅霖同學霖隱不仕詠既貴求霖者三十年不可得晚自金陵造朝論丁謂王欽若出知陳州一日霖忽來謁閽走白詠詠訶曰傅先生吾尚不得而友汝敢呼姓名乎霖笑曰是豈知世間有傅霖者詠問昔何隱今何出霖曰子將出矣來報子爾詠曰詠亦自知之曰知復何言翼日辭去後一月而詠卒贈右僕射謚忠定詩雄健古淡有氣骨稱其爲人其與傅山人詩云寄語巢由莫相笑此心不是愛輕肥足以

見其志也

清獻集

趙抃字閱道衢之西安人中景祐元年進士乙科通判宜州以母喪廬墓三年孫處爲作孝子傳名爲殿中侍御史京師號鐵面御史進參知政事已而求郡旋名旋罷英宗朝除龍圖閣直學士知成都蜀益治神宗初名知諫院曰聞卿匹馬入蜀以一琴一龜自隨爲政簡易亦稱是耶既與王安石議政不協求去除資政殿學士出外改越州致仕壽卒贈太子少師謚清獻詩觸口而成工拙隨意而清蒼鬱律之氣出於肺肝然其學多本於佛與濂溪爲僚而不知改故亦不能卓然有所發揮也

宛陵集

梅堯臣字聖俞人稱宛陵先生宣州宣城人以從父蔭補太廟齋郎歷主簿縣令監稅湖州簽署忠武鎭安兩軍節度判官初大臣屢薦宜在館閣嘗一召試賜進士出身餘輒不報嘉祐初學士趙槩等十餘人列言於朝乃得國子監直講累官至尚書屯田都官員外郎撰唐載二十六卷多補正乃命編脩唐書書成未奏而卒聖俞少即以能詩名天下求者踵至其

初喜爲清麗閑肆平淡久則涵演深遠間亦琢剝以出怪巧然氣完力餘益老以勁其應於人者多故辭非一體非如唐諸子號詩人者僻固而狹陋也在河南時王晦叔見而歎曰二百年無此作矣賢士大夫如溫公東坡介甫諸人咸敬重之尤與歐陽文忠公善世比之韓孟兩公亦頗以自況故貢奎詩云詩還二百年來作身死三千里外官知己若論歐永叔退之猶自愧郊寒蓋言詩力也又龔嘯云去浮靡之習於崑體極弊之際存古淡之道於諸大家未起之先此所以爲梅都官詩也果信

武溪集

余靖字安道韶州合江人舉進士與尹師魯同應拔萃科靖爲冠累官至秘書丞充集賢校理天章閣待制時范仲淹以言事觸宰相得罪靖疏救之坐貶監筠州酒稅已仲淹得白乃名還慶曆中夏元昊納誓請和將加册封而契丹兵來止毋與和朝議患之靖謂撓我爾不可聽乃假靖諫議大夫報契丹於九十九泉卒屈其議取其要領而還加知制誥史館修撰時相忌之坐習蕃語出知吉州奪官皇祐初復起平儂智高於嶺南拜集賢學士遷吏部侍郎交趾寇邕

州以爲廣西體量安撫使靖徙移檄而定拜工部尚書始典郡開國公食邑二千八百戶實封二百戶代還道病卒累贈少師謚曰襄有武溪集二十卷爲文不爲曼辭如辨謚論史序瀬等篇皆有所發明詩亦堅鍊有法時歐陽變體復古靖與交厚故亦棄華取質爲有本之學

歐陽文忠集

歐陽修字永叔吉州永豐人天聖中進士補西京留守推官名試學士院爲館閣校勘以書詆諫官高若訥貶夷陵令徙乾德改判武成軍遷太子中允館閣校勘集賢校理知太常理院出通判滑州慶歷初擢太常丞知諫院拜右正言知制誥以朋黨出知滁州遷起居舍人徙揚州潁州復龍圖閣直學士知應天府母憂起復判流內銓以翰林學士脩唐書加史館脩撰勾當三班院判太常寺拜右諫議大夫判尚書禮部又判秘書省兼龍圖閣學士權知開封府唐書成拜禮部侍郎樞密副使未幾參知政事定議立英宗以觀文殿學士刑部尚書知亳州徙青州蔡州以太子少師致仕卒贈太子太師謚曰文忠其詩如昌黎以氣格爲主昌黎時出排奡之句文忠一歸之於

敷愉畧與其文相似也

和靖集

林逋字君復杭之錢塘人少孤力學刻志不仕結廬西湖孤山眞宗聞其名賜粟帛詔長吏歲時勞問臨終詩有茂陵他日求遺稿猶喜曾無封禪書時人高其志識賜謚和靖先生逋不娶無子所居多植梅畜鶴泛舟湖中客至則放鶴致之因謂梅妻鶴子云其詩平淡邃美而趣向博遠故辭主靜正而不露刺譏梅聖俞謂詠之令人忘百事大數塞王孟之幽而摭劉韋之逸歐陽文忠愛其詠梅花詩疎影横斜一聯謂前世未有此句黄涪翁則以雪後園林二語爲勝之蓋一取神韻一取意趣皆爲傑句然知歐陽之所賞者多知涪翁之所賞者少也所作雖夥未嘗留稿或問之曰吾不欲取名於時况後世乎故所存百無一二如當時稱其五言有草泥行郭索雲木叫鉤輈句集中已不可得其他遺軼可知也

徂徠集

石介字守道兖州奉符人年二十六舉進士甲科爲鄆州觀察推官歷官至國子監直講慶曆中進用韓范富杜諸臣介躍然喜曰此盛事也雅頌吾職其可

已乎乃作慶曆聖德詩直指大臣分別邪正詩出泰山孫明復曰子禍始於此矣以是爲人所擠杜祁公韓魏公俱薦之拜太子中允直集賢院壽卒於家怒之者謂其詐死北走契丹請斲棺驗之幸不許所爲詩文皆根柢至道排斥佛老及姦臣宦女庶幾聖人之徒魯人稱爲徂徠先生因以名其集永叔詩云問胡所專心仁義丘與軻楊雄韓愈氏此外豈知他尤勇攻佛老奮筆如揮戈又云金可爍而銷玉可碎非堅不若書以紙六經皆紙傳但當書百本傳百以爲千或落於四夷或藏在深山待彼謗焰熄放此光芒

懸今讀其詩嶙峋硉矹挺立千尋溫厚之意存於激直得見風人之遺然正學忤時直道致黜千古一轍其可哀也

武仲清江集

孔武仲字常父臨江新喻人至聖四十八代孫也舉進士中甲科調穀城主簿教授齊州爲國子直講歷秘書正字校書集賢校理著作郎國子司業論詆王氏進起居郎侍講邇英起居舍人旋拜中書直學士院擢給事中遷禮部侍郎以寶文閣待制知洪州改宣州坐元祐黨奪職居池州卒年五十七與兄文仲

弟平仲並有文名時稱二蘇三孔元祐文人之盛大都材致橫潤而氣魄剛直故能振靡復古如三孔者皆文章之雄也然文仲恃才爲蘇氏所使攻毀程子晚知懊恨歐血而没君子病之集藁罕傳周益公搜合時爲三孔清江集已不可多得矣一言不知令名剝落爲文人者每得罪聖賢不必爲奸邪而卒不得與於君子豈獨一文仲哉作者不可以不慎也因附其遺詩數首於末文仲字經父舉進士官至諫議大夫中書舍人

平仲清江集

孔平仲字毅父武仲之弟登進士第呂公著薦爲秘書丞集賢校理出爲江東轉運判官提點江浙鑄錢京西刑獄紹聖中以元祐黨人屢謫韶惠英三州徽宗名爲戸部金部郎中提舉永興路刑獄帥鄜延環慶黨論再起罷主管景靈宮卒平仲長於史學工詞藻故詩尤夭矯流麗奄有二仲

南陽集

韓維字持國開封雍丘人父億參知政事維受蔭入官父没閉門不仕歐陽修薦爲檢討知太常禮院出判涇州英宗免喪除同修起居注侍邇英進知制誥

弟平仲並有文名時稱二蘇三孔元祐文人之盛大都材致橫溢而氣魄剛直故能振厲復古如三孔者皆文章之雄也然文仲恃才為蘇氏所使攻擊程子晚知懊恨而死君子病之集藁罕傳周益公搜合時為三孔清江集已不可多得矣一言不知今名剗落為文人者每得罪聖賢不必為奸邪而卒不得與於君子豈獨一文仲哉作者不可以不慎也因附其遺詩數首於末文仲字經父舉進士官至諫議大夫中書舍人

平仲清江集

孔平仲字毅父武仲之弟登進士第呂公著薦為秘書丞集賢校理出為江東轉運判官提點江浙鑄錢京西刑獄紹聖中以元祐黨人屢謫惠英三州徽宗立為戶部金部郎中提舉永興路刑獄帥鄜延環慶黨論再起罷主管兗靈宮卒平仲長於史學工詞藻故詩尤夭矯流麗奄有二仲

南陽集

韓維字持國開封雍丘人父億參知政事維受蔭入官父没閉門不仕歐陽修薦為檢討知太常禮院出判濮州英宗免喪除同修起居注侍邇英進知制誥

知通進銀臺引神宗初除龍圖閣直學士充羣牧使出知襄州許州入爲學士承旨會其兄絳入相出知河陽知許州提舉嵩山崇福宮召兼侍讀加大學士拜門下侍郎出知汝州以太子少傅致仕轉少師紹聖中坐元祐黨安置均州元符元年卒年八十二徽宗初追復舊官維同時唱和者爲聖俞永叔其深遠不及聖俞溫潤不及永叔然古淡疎暢故足爲兩家之鼓吹也酴醾絕句在集中不足數而世盛稱之古今豈有定論哉

臨川集

王安石字介甫臨川人後居金陵亦號半山登進士上第簽書淮南判官再調知鄞縣通判舒州召試館職不就用爲羣牧判官知常州移提點江東刑獄嘉祐三年入爲度支判官俄直集賢院明年同修起居注知制誥糾察在京刑獄以母憂去終英宗世召不起神宗爲太子時聞其名即位命知江寧府數月召爲翰林學士兼侍講熙寧二年拜參知政事變行新法天下騷然罷爲觀文殿大學士知江寧府再起爲相屢謝病又罷爲鎮南節度使同平章事判江寧府改集禧觀使封舒國公元豐三年復拜左僕射觀文

殿大學士换特進改封於荆哲宗加司空卒贈太傅謚曰文配食孔廟追封舒王南渡後始罷從祀安石少以意氣自許故詩語惟其所向不復更爲涵畜後從宋次道盡假唐人詩集博觀而約取晚年始悟深婉不迫之趣然其精嚴深刻皆步驟老杜所得而論者謂其有工緻無悲壯讀之久則令人筆拘而格退余以爲不然安石遣情世外其悲壯卽寓閑淡之中獨是議論過多亦是一病爾

東坡集

蘇軾字子瞻一字和仲眉州眉山人嘉祐二年進士

調福昌主簿對制策入三等除大理評事簽書鳳翔府判官入判登聞鼓院召試直史館丁父憂熙寧二年還朝判官告院權開封府推官出判杭州知密徐湖三州以爲詩謗訕逮赴臺獄謫遷黄州團練副使安置築室於東坡自號東坡居士移常州哲宗立復朝奉郎知登州召爲禮部郎中遷起居舍人尋除翰林學士兼侍讀拜龍圖閣學士出知杭州召爲翰林承旨數月知潁州揚州復召爲兵部尚書兼侍讀改禮部兼端明殿翰林侍讀兩學士出知定州紹聖初貶寧遠軍節度副使惠州安置又貶瓊州別駕居儋

耳徽宗立移舒州團練副使徙永州更三赦遂提舉玉局觀復朝奉郎建中靖國元年卒於常州年六十六南渡後贈太師諡文忠子瞻詩氣象洪濶鋪敘宛轉子美之後一人而已然用事太多不免失之豐縟雖其學問所溢要亦洗削之功未盡也而世之訾宋詩者獨以子瞻不敢輕議以其胸中有萬卷書耳不知子瞻所重不在此也加之梅溪之註鬬飣其間則子瞻之精神反爲所掩故讀蘇詩者汰梅溪之註并汰其過於豐縟者然後有眞蘇詩也

西塘集

鄭俠字介夫福清人第進士調光州司法叅軍秩滿入都見安石言新法非便安石不悅使監安上門會久旱俠繪門上所見流民困苦圖發馬遞投銀臺進之神宗覽圖噓唏罷新法浹日大雨用事者爭置俠擅發馬遞之罪編管汀州改英州哲宗立放還除泉州錄事叅軍元符復送英州建中靖國放還復前職崇寧監衡山廟旋追毀前命勒停五年降告復將仕郎叙用俠遂不復出在英宗號大慶居士還鄉所存惟一拂故又號一拂居士宣和元年忽夢鐵冠道士遺之詩視之乃子瞻也嘆曰吾將逝矣作詩云似此

平生只藉天勝如過鳥在雲烟如今身畔無餘物麤得虛堂一枕眠授孫而卒年七十九嘉定中謚曰介俠少苦學其古詩疎朴老直有次山東野之風不得以當行格調律之

廣陵集

王令字逢原廣陵人也年十數歲與里人滿執中爲友偉節高行特立於時王安石赴名道由淮南令賦南山之田詩往見之安石大喜期其材可與共功業於天下因妻以其夫人之女弟年二十八而卒令詩學韓孟而識度高遠非安石所及不第以瓌奇也惜限於年耳

後山集

陳師道字履常一字無已號後山彭城人年十六謁曾南豐大器之遂受業焉元豐初曾典史事以白衣薦爲屬尋以憂去不果章惇冀其來見將特薦之卒不一往蘇東坡與侍從列薦爲教授未幾除太學博士後以蘇氏私黨罷移潁州又換彭澤以母憂不仕者四年元符間除秘書省正字侍南郊寒甚其妻于僚壻借副裘蓋熙豐黨也竟不衣病寒卒初學於曾後見黃魯直詩格律一變魯直謂其讀書如禹之治

水知天下之脉絡有開有塞至於九州滌源四海會同者作文知古人關鍵其詩深得老杜之法今之詩人不能當也任淵謂讀後山詩似參曹洞禪不犯正位切忌死語非冥搜旁引莫窺其用意深處因爲作註葢法嚴而力勁學贍而用變涪翁以後殆難與敵也

丹淵集

文同字與可蜀梓州人初以文贄文潞公公譽重之由是知名登皇祐元年進士爲邛州軍事判官調靖難軍幕至和中名試館職判尚書職方兼編校史館

書籍以親老請通判邛州尋改漢州熙寧中復入朝與執政議新法不合以論禮坐奪一官出知陵州徙洋州所至皆有政績代還判登聞鼓院數月出知湖州尋卒稱石室先生自謂有四絶詩一楚辭二草書三畫四且云世無知我者惟子瞻一見識吾妙處其詩清蒼蕭散無俗學補綴氣有孟襄陽韋蘇州之致與東坡中表每切規戒蘇門亦嚴重之不與秦張鼂列送蘇倅杭云北客若來休問事西湖雖好莫吟詩蘇不能聽也世以爲知言

襄陽集

米黻自云黻即芾也故亦作芾字元章太原人徙居襄陽號襄陽漫仕後徙居吴以母侍宣仁后藩邸舊恩補臨光尉歷知雍丘縣漣水軍使太常博士知無爲軍名爲書畫學博士賜對便殿上其子友仁楚江清曉圖擢禮部員外郎出知淮陽軍卒解音律象緯善屬文作韻語要必已出爲工務崖絶魁壘悟竹簡以竹聿行漆故篆籀法特古作字遒勁奇峭畫山水人物自成一家極江南煙雲變滅之趣晚以研山易北固園亭名海嶽菴淨名齋又作寶晉齋因號海嶽外史又以曾監中嶽廟號中嶽外史自稱家居道士有潔癖世謂水淫任太常奉祀太廟洗去祭服藻火坐是被黜冠服作唐人所好多違世異俗故人皆稱米顛嘗作詩云飯白雲留子茶甘露有兄人叩之曰只是甘露哥哥耳王安石愛其詩摘書扇上東坡云元章奔逸絶塵之氣超妙入神之字清新絶俗之文相知二十年恨知公不盡答曰更有知不盡處其風致可想也有山林集十卷恨未見其全

山谷集

黄庭堅字魯直分寧人游灊皖山谷寺石牛洞樂其勝自號山谷老人天下因稱山谷以配東坡過涪又

號涪翁第進士歷知大和哲宗名爲校書郎神宗實錄檢討官起居舍人除秘書丞國史編修官紹聖間出知宣鄂章[illegible]論實錄多誣責問條對不屈貶涪州別駕安置黔州郎日上道投床大鼾人以是賢之徽宗起監鄂州稅歷知舒州丐郡得太平州旋罷嘗忤趙挺之及銜嗾除名編管宜州卒年六十一宋初詩承唐餘至蘇梅歐陽變以大雅然各極其天才筆力非必鍛鍊勤苦而成也庭堅出而會萃百家句律之長究極歷代體製之變自成一家雖隻字半句不輕出爲宋詩家宗祖江西詩派皆師承之史稱自黔州以後句法尤高實天下之奇作自宋興以來一人而已非規模唐調者所能夢見也惟本領爲禪學不免蘇門習氣是用爲病耳

宛丘集

張耒字文潛號柯山人稱宛丘先生楚州淮陰人少善屬文遊學於蘇轍轍愛之因得從軾遊稱其汪洋沖澹有一唱三歎之聲第進士歷官至直龍圖閣知潤州坐蜀黨徙宣州謫監黃州酒稅徽宗起爲太常出知頴汝復坐黨籍落職在頴時聞蘇軾訃至爲舉哀行服遂貶房州別駕安置於黃後五年得許自便

居陳時二蘇及黃晁諸人相繼殄殁惟耒尚存士人就學者衆分日載酒肴事之其名益甚卒年六十一史稱其詩效白居易樂府效張籍然近體工警不及白而醞籍閑遠別有神韻樂府古詩用意古雅亦長慶爲多耳予嘗謂秦得吾工張得吾易謾相壓也要在秦晁以上

具茨集

晁冲之字叔用初字用道舉進士與陵陽喻汝礪爲同門生少年豪華自放挾輕肥遊帝京狎官妓李師師纏頭以千萬酒船歌板賓從雜沓聲艷一時紹聖

初黨禍起羣從多在黨中被謫逐遂飄然棲遁於具茨之下號具茨先生十餘年後重過京師愴舊遊作無題詩二首爲時所傳時諸公謀欲用之高挹不顧至疾革取平生所著曰是不足以成吾名悉焚之故其詩不多呂紫微位之江西派中云衆人學山谷叔用獨專學杜詩衆求生西方時秀實獨求生兜率然又云叔用嘗戲謂我詩非不如子只子差熟耳答云熟便是精妙處叔用大笑此亦紫微多上人語耳若其淵渟雅亮筆有餘閒未肯退下一格也劉後村稱其意度容濶氣力寬餘一洗詩人窮餓辛酸之態南

渡後惟放翁可以繼之其見許如此足爲雅鑒

陵陽集

韓駒字子蒼蜀仙井監人嘗在許下從蘇轍學稱其詩似儲光羲遂名於時政和以獻頌補假將仕郎名試賜進士除秘書正字尋坐蘇氏黨謫知分寧名爲著作郎奏舊祠祭樂章辭多抵牾因更撰定五十餘章遷中書舍人兼脩國史權直學士院復坐鄉黨曲學提舉江州太平觀卒於撫州詩有磨淬剪截之功不吝改竄有寄人數年復追取更定一二字者故其集不多而容栗以幽意味老淡直欲別作一家紫微引之入江西派駒不樂也

雞肋集

晁補之字无咎濟州巨野人年十七從父官杭州著七述言錢塘山川風物之麗時東坡爲通判正欲作賦見之稱歎曰吾可閣筆矣由是知名舉進士試開封及禮部別院皆第一神宗閱其文曰是深於經術可革浮薄累仕著作郎克秘閣校理國史編脩尋坐脩神宗實錄失實降官徽宗名還未幾復以黨論坐貶還家葺歸來園自號歸來子大觀末出黨籍起知泗州卒有集七十卷自謂食之則無得棄之則可惜

故名雞肋集

道鄉集

鄒浩字志完常州晉陵人第進士爲太常博士哲宗擢爲右正言時廢孟后立賢妃劉氏浩切諫削官覊管新州徽宗立名還復官問諫草安在曰焚之矣退告陳瓘曰禍在此乎異日奸人妄出一緘則不可復辨也蔡京用事果爲僞疏陷之遂謫衡州尋竄昭州五年得歸復直龍圖閣病卒高宗贈寶文閣直學士賜謚忠嶽表歸後自闢小圃號曰道鄉故學者稱道鄉先生

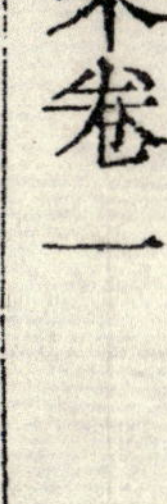

淮海集

秦觀字少游一字太虛揚州高郵人豪雋慷慨溢於文辭舉進士不中盛氣好奇讀兵家書見蘇軾於徐爲黃樓賦軾以爲有屈宋才介其詩於王安石亦謂清新如鮑謝軾勉以應舉爲親養始登第筮仕元祐初軾以賢良方正薦於朝除秘書正字兼國史院編脩官日有研墨器幣之賜紹聖初出黨籍出判杭州以增損實錄貶監處州酒稅使者承風旨伺過失無所得則以謁告寫佛書爲罪削秩編管橫州徙雷州徽宗放還至藤州出遊華光亭爲客道夢中長短句

索水飲笑覷水而卒朱子謂渠詩合下得句便巧呂居仁云少游過嶺後詩嚴重高古自成一家故當時於蘇門並稱秦晁晁以氣勝則灝衍而新崛秦以韻勝則追琢而渟泓要其體格在伯仲而晁爲雄大矣

江湖長翁集

陳造字唐卿淮之高郵人自以無補於世置江湖乃宜又以物無用曰長物言無當曰長語故稱江湖長翁年二十五始學儒四十三登乙未科尉繁昌改教授平江府叅政范石湖曰使遇歐蘇名不在少游下壽知定海縣授朝散郎淮南路安撫司叅議官病卒

陸放翁序其集謂能居今篤古卓然傑立於頹波之外其詩椎鍊不事浮響故見許如此

雲巢集

沈遼字睿達以兄遘任入官爲審官西院主簿出監明州市舶司遷太常奏禮部郎改杭州軍資庫攝華亭縣事奪官徙永州元豐八年二月卒於池州遼畜聲妓几研間陶瓦金銅物皆數閱數百年遠者溢出周秦王人[illegible]以詩云風流謝安石瀟洒陶淵明其子雱亦有詩云前日覽佳作淵明不如及徙秋浦築室齊山名之曰雲巢一洗年少之習從事禪悅蘇

子瞻嘗語人曰睿達未路蹭蹬使人耿耿求此才韻豈易得哉余閱其詩間出入俗調佳者亦生硬排奡不知何以諸公見賞之如是也悉爲汰去庶諸公不爲失言耳

西溪集

沈遘字文通錢塘人以郊齋郎舉進士廷唱第一謂其已官改第二通判江寧府除集賢校理知制誥出知越杭二州還龍圖閣直學士知開封府拜翰林學士丁母憂卒於墓廬有西溪集十卷詩非其能事而唱和者爲王介甫蘇子美何故而止於是也

龜谿集

沈與求字必先湖州德清人登政和五年進士累遷至明州通判名對除監察御史歷兵部員外郎殿中侍御史請都建康上不悦出知台州名還再除御史遷御史中丞前後卷四百奏其言切直自敵已以下有不能堪者高宗時有所訓勅每曰汝不識沈中丞耶移吏部尚書出知潭州名除叅知政事出知明州遷知樞密院事卒謚忠敏其詩喜論體製格律源流所自不貴苟作有龜谿集十二卷

節孝集

徐積字仲車楚州山陽人少孤從安定學門下踰千人獨以別室處之遣媪視飲食瀚濯盛寒一袷裘以米飯投漿甕中日食數塊而已事母至孝以父名石平生不用石器遇石輒避母死廬墓哀號三年如一日每以五字教學者公卿部使者交薦除楚州教授改防禦推官又時改宣德郎崇寧間又特除西京嵩山中嶽皆非常制七十八卒於家謚節孝處士先是梳書臥册間大書曰五月榴花不肯開直待徐郎來筆蹤不類人世書卒時適五月一日人皆異之詩文用腹稿嘗曰文字在胸中未暇出者甚多也晚年耳疾不發遠書率以小詩報之

簡齋集

陳與義字去非號簡齋汝州葉縣人登上舍甲科歷太學博士擢符寶郎尋謫監陳留酒稅南渡後避亂襄漢轉湖湘踰嶺嶠名為兵部員外郎紹興中累官翰林學士知制誥至叅知政事卒年四十九少學詩於崔德符問作詩之要崔曰工拙所未論大要忌俗而已嘗賦墨梅受知徽宗遂登册府高宗尤喜其客子光陰詩卷裏杏花消息雨聲中之句天分既高用心亦苦意不扳俗語不驚人不輕出也晚年益工旗

亭傳舍摘句題寫殆遍號稱新體物寓興清邃紆徐高舉橫麗上下陶謝韋柳之間劉後村謂元祐後詩人迭起不出蘇黃二體及簡齋始以老杜爲師建炎間避地湖嶠行萬里路詩益奇壯造次不忘憂愛以簡嚴埽繁縟以雄渾代尖巧第其品格當在諸家之上劉須溪序其詩亦謂較勝黃陳比東坡云如論花高品則色不如香逼真則香不如色其推尊如此簡齋自言曰詩至老杜極矣蘇黃復振之而正統不墜東坡賦才大故解縱繩墨之外而用之不窮山谷措意深故游泳玩味之餘而索之益遠要必識蘇黃之所不爲然後可以涉老杜之涯涘味此足以定其品格矣簡齋晚年讀書吾邑之　鄉有遺蹟云

盱江集

李覯字泰伯南城人舉茂才異等不中以教授養親從學日衆范仲淹薦試太學助教嘉祐中名爲海門主簿太學說書卒門人鄧潤甫上其所著書尤長於經制朱子謂李泰伯文字不軟帖氣象大段好實得之經中雖淺然皆自大處起議論若老蘇父子得之史中戰國策故皆自小處起議論真知言也詩雄勁有氣骸用意出人有云格如平易人多愛意到幽深

鬼未知見其得處矣

雙溪集

王炎字晦叔新安婺源人所居武水之曲雙溪合流因以爲號矣登乾道進士始令臨湘受學於南軒先生入中都官博士慶元四年爲實錄檢討尋轉著作佐郎出守湖州年八十餘著有雙溪集炎詩頗爲世所稱許然亦多庸詞今擇其刊落者入鈔

呂晚村先生續集卷一終

吕晚村先生續集卷二

宋詩鈔列傳

眉山集

唐庚字子西眉州丹陵人年十四能詩文賦明妃曲題醉仙崖諸作老師匠手皆畏之中紹聖進士爲州縣官至大觀始入爲博士張商英薦其才除提舉京畿常平商英罷相庚坐貶安置惠州會赦復官承議郎提舉上清太平宫歸蜀道病卒年五十一自南遷海表詩格益進曲盡南州景物略無憔悴悲酸之態劉濳夫謂其出稍晚使及坡門當不在秦晁下今觀

其結束精悍體正出奇芒燄在簡淡之中神韻寄聲律之外雖云後出固當勝爾

鴻慶集

孫覿字仲益嘗提舉鴻慶宫故自號鴻慶居士五歲時卽爲東坡所器第政和間進士靖康俶擾爲執法爲詞臣旋由瑣闥歷吏戸長貳連守大郡紹興而後遭値口語斥居象郡久之歸隱太湖二十餘年孝宗朝命編類蔡京王黼等事實上之史官年九十餘卒由其居閑久故問學深誠有宋之作家也獨以其誌万俟卨之墓嘉靖間常州欲刻鴻慶集邑人徐問曰

覬有罪名教其集不當行世遂止嗚呼斯言固秋霜也今不廢其詩者以見有詩如此而不得列於作者欲立言者知所自重耳

蘆州歸來集

張元幹字仲宗永福人太學上舍歷官至大監所與遊皆偉人賢士嘗裒其亡友唐慤生詩帖褾軸璀粲如誺達人貴公得氣時人嘉其朋友之義又於亂紙中得其祖文靖手澤知祖未第時婿於劉氏劉無出塟於福清元幹求之榛莽中割牲釃酒爲文刻石以傳子孫作幽岩尊祖錄宣政間游定夫楊龜山陳了

翁朱喬年李伯紀洪駒父徐師川呂居仁名賢三十餘家咸題跋歎美之有蘆川歸來集十餘卷得之書肆廢帙逸其大半詩止近體六七二卷清新而有法度蔚然出塵觀其序王承可詩云初從徐東湖指授句法知淵源有自也

建康集

葉夢得字少蘊吳縣人紹聖四年進士自婺州教授召爲編脩官歷祠部郎起居郎翰林學士出知汝州提舉洞霄宮政和五年起知蔡州移帥潁昌府尋提舉南京鴻慶宮紹興初起爲江東安撫大使兼知建

康府移知福州上章請老仍題舉洞霄致仕而卒贈檢校少保夢得有總集百卷此集乃知建康時所作總集中之一集也建康是時值用兵契闊鋒鏑之中而吟咏蕭散固是詩人之致

橫浦集

張九成字子韶開封人徙居錢塘從學於龜山紹興二年策進士直言者置高等九成遂擢首選授鎮東軍僉判歷至刑部侍郎秦檜和議不合謫邵州復以傾附趙鼎落職高宗特予宫觀先是徑山僧宗杲與善檜諷論其與宗杲謗訕謫南安軍十四年從學者

稱橫浦先生每執書就明倚立庭磚歲久雙趺隱然寶慶初贈太師崇國公謚文忠九成於經學頗多訓解然習於異學故議論多偏詩亦多禪悅空悟習氣

浮溪集

汪藻字彥章德興人入太學登進士歷江西提舉嶽宗製君臣慶會閣詩藻所和羣臣莫及傳稱於時時胡伸亦以文名人為語曰江左二寶胡伸江藻遷著作郎忤王黼與祠寓晉陵八年欽宗還起居舍人高宗歷擢中書給事侍講直學士院一時詔令多出其手拜翰林學士以所御白團扇親書紫誥仍兼綰黄

麻似六經十字以賜除龍圖閣奏纂三朝日曆進顯謨閣學士知徽州論落職居永州卒在晉陵時徐俯洪炎洪芻自負無所屈見藻詩於僧壁嘖曰我輩人也詰舍上謁而去藻歎曰撚鬚琢句騷人墨客不平之鳴耳烏足尚哉詩高華有骨興寄深遠有浮溪集六十卷失傳此選本文粹所成也

香溪集

范浚字茂明婺之蘭江人紹興中舉賢良方正昆弟多居膴仕竟以秦檜當國抗節不起隱於香溪因稱香溪先生著書明道多本於經學朱子取其心箴於孟子集註中由是重於儒林金仁山謂其集近亡此本爲其從子元卿所輯而陳巖肖弁序者爲香溪集

屏山集

劉子翬字彥冲以父韐任授承務郎辟幕屬韐死靖康之難子翬痛憤哀毀服除通判興化軍事以羸疾丐祠歸隱屏山學者稱屏山先生而自號病翁與籍溪胡原仲白水劉致中爲道義交所學深遠朱子受遺命往游其門子翬告以易不遠復三言俾佩之終身一日感微疾即謁廟訣別家人與朱子言入道次第而殁詩與曾茶山韓子蒼呂居仁相往還故所詣

殊高五言幽淡卓鍊及陶謝之勝而無康樂繁縟細澀之態則以其用經學不同所得之理異也

韋齋集

朱松字喬年號韋齋新安人文公朱子其嗣也第進士除秘書省正字建炎紹興間詩名藉甚聞河南程子之學捐棄舊習朝夕研討久而深有所得趙鼎督川陝荆襄招爲屬不就鼎再相除校書郎歷度支員外史館校勘司勲吏部郎秦檜主和議上章極言其不可檜諷御史論其懷異自賢出知饒州未至卒

玉瀾集

朱槔字逢年文公之叔父也少有軼才自負其長不肯隨俗俯仰厄窮踸踔有人所難堪而其節愈厲其氣益高其詩閒暇略不見悲傷憔悴之態因夢名堂曰玉瀾梁溪尤延之叙其詩

北山小集

程俱字致道衢之開化人以外祖鄧潤甫恩補官坐上書論紹述罷歸宣政間進頌賜上舍出身歷官禮部郎建炎直秘閣知秀州南渡航海趨行在紹興初爲秘書少監時庶事草創俱摭三館舊聞爲書曰麟臺故事上之擢中書舍人兼侍講旋除徽猷閣待制

晚病風痺秦檜薦領史事不至卒年六十七爲文典雅閎奥詩則取塗韋柳以闚陶謝蕭散古澹有忘言自足之趣標致之最高者也

竹洲集

吳儆字益恭初名偁避秀園諱改名登紹興二十七年進士調明州鄞縣尉歷官至朝散郎知邕州軍州轉泰州乞祠主管台州崇道觀卒於淳熙十年謚文肅當時朱子及張南軒呂東萊陳龍川范石湖葉水心陳止齋諸公咸與友善其自邕而入對也南軒書孔子之剛曾子之勇南方之强三章以誌別嘗作尊

已堂記朱子見之喜曰往者張荆州呂著作皆稱吳邕州之才今讀其文又見其所存其爲聖賢所許如此四方從學者尊爲竹洲先生

益公省齋藁

周必大字子充一字洪道廬陵人第進士中博學宏詞科以教錄名試館職授秘書正字至監察御史孝宗初權給事中請祠提點福建刑獄除秘書少監直學士院侍講中書舍人出知建寧遷翰林學士除尚書參知政事拜樞密使右丞相封濟國公光宗拜少保益國公出判潭州寧宗初以少傅致仕卒贈太師

謚文忠年七十九韓侂胄禁僞學指爲罪首有集二百卷詩格澹雅由白傅而溯源浣花者也

文公集

子朱子文公諱某字元晦一字仲晦徽州婺源人中紹興進士第歷事高孝光寧四朝仕至轉運副使崇政殿説書煥章閣待制致仕年七十一卒理宗贈太師封信國公改徽國屢經薦名爲小人所沮抑旋仕旋已道終不行知南康時建復白鹿洞書院遊武夷愛其山水奇岩築精舍論道其中所至生徒雲集教學不倦天下攻僞學日急不顧也孝宗時侍郎胡銓

以詩人薦同王庭珪内名故朱子自註詩云僕不能詩平生僥倖多類此然雖不役志於詩而冲和條貫渾涵萬有無事模鐫自然聲振非淺學之所能窺此和順之英華天縱之餘事也

石湖集

范成大字致能吳郡人也紹興擢進士第授戶曹監和劑局遷正字累遷著作佐郎除吏部郎官奉祠起知處州入爲禮部員外郎兼崇政殿大學士使金國歸除中書舍人出知廣西靜江府除敷文閣待制四川制置使名對除權吏部尚書拜參知政事奉祠起

知明州除端明殿學士壽帥金陵進資政殿學士再領洞霄宮加大學士卒所居石湖在太湖之濱阜陵宸翰扁之其詩縟而不釀縮而不窘新清嫵媚奄有鮑謝奔逸俊偉窮追太白當是時石湖與楊誠齋陸放翁尤遂初皆南渡之大家也誠齋言余於詩豈敢以千里畏人者而於公獨斂衽焉

劒南集

陸游字務觀越州山陰人十二能詩文廕補登仕郎鎖廳薦送第一秦檜孫塤居次檜不說明年試禮部復置游前列檜顯黜之由是爲所嫉檜死始赴寧德簿以薦除勅令所刪定官孝宗初遷樞密院編修編類聖政所檢討官名見賜進士出身壽免去五爲州别駕西泝夔道范成大帥蜀爲參議官以文字交不拘禮法人譏其放因自號放翁後累遷與祠起知嚴州再名見曰卿筆力回斡非他人可及同修三朝國史實錄陞寶章閣待制致仕封渭南伯卒年八十五詩稿最多以居蜀久不能忘綂署其稿曰劒南以見志孝宗嘗問周必大曰今詩人亦有如唐李白者乎必大以游對人因呼爲小太白劉後村謂近歲詩人雜博者堆隊仗空疎者窘材料出奇者費搜索縛律

者少變化惟放翁記問足以貫通力量足以驅使才思足以發越氣魄足以陵暴南渡而下故當爲一大宗吾謂豈惟南渡雖全宋不多得也宋詩大半從少陵分支故山谷云天下幾人學杜甫誰得其皮與其骨若放翁者不寧皮骨蓋得其心矣所謂愛君憂國之誠見乎辭者每飯不忘故其詩浩瀚崒嵂自有神合嗚呼此其所以爲大宗也與

止齋集

陳傅良字君舉居溫州瑞安縣之帆游鄉學於永嘉薛氏得伊洛之旨又從南軒東萊聞爲學大要其名

益高爲太學録累遷至嘉王府贊讀龍樓閣問寢不時獨切諫每以天性感悟孝宗父子後知上意弗回遂乞歸寧宗初除中書與朱子同朝疏留朱子爲韓侂胄所忌詆學術不正遂罷去杜門居一室曰止齋嘉泰二年復提舉江州起知泉州力辭授寶謨閣待制尋卒於家初從薛氏自井田王制司馬法八陣圖之屬該通委曲皆可施之實用復研精經史貫穿百氏以斯文爲已任故其詩格亦蒼勁得少陵一體云

誠齋集

楊萬里字廷秀吉州吉水人中紹興進士爲零陵丞

張浚勉以正心誠意之學遂自名其室曰誠齋光宗
親書二字賜之歷官國學太常知漳州常州提舉廣
東常平茶鹽帝親擢東宮侍讀以議配饗忤孝宗出
知筠州光宗名爲秘書監尋出江東轉運總領淮西
江東朝議行鐵錢萬里不奉詔改贑州乞祠自是不
復出韓侂胄築南園屬爲記許以掖垣曰官可棄記
不可得侂胄權日盛遂憂憤成疾家人不敢進邸報
適族子自外至言侂胄近狀萬里慟哭呼紙書曰奸
臣專權謀危社稷吾頭顱如許報國無路惟有孤憤
別妻子筆落而逝年八十三謚文節其詩自序始學

江西既學后山五字律既又學半山七字絶句晚乃
學唐人絶句後官荆溪忽若有悟遂謝去前學而後
渙然自得時目爲誠齋體嘗自焚其少作千餘中有
如露窠蛛卹緯風語燕懷春立岸風大壯還舟燈小
明疎星煜煜沙貫月緑雲擾擾水舞苔坐忘日月三
杯酒臥護江湖一釣船之句舉似尤延之歎惋曰詩
何必一體焚之可惜也後村謂放翁學力也如杜甫
誠齋天分也似李白蓋落盡皮毛自出機杼古人之
所謂似李白者入今之俗目則皆俚諺也初得黄春
坊選本又得檇李高氏所録爲訂正手抄之見者無

不大笑嗚呼不笑不足以爲誠齋之詩

浪語集

薛季宣字士龍永嘉人年十七起從荆南帥辟書寫機宜文事由武昌令名爲大理寺主簿大理正出知湖州攺常州年四十而卒季宣爲程門再傳而所言經術則浙學也故浙人宗之其詩質直少風人瀟洒之致然縱横七言則盧仝馬異不足多也

水心集

葉適字正則温州永嘉人淳熙五年進士爲節度判官以薦名爲博士兼實録檢討官嘗薦陳傅良等三

十四人於丞相皆得人林栗劾毁朱子適上疏力爭以是重於儒林預寧宗内禪議左右趙汝愚汝愚貶亦罷官旋名權兵部侍郎韓侂胄欲立功出師思適草詔以動中外攺吏部兼直學士院以疾辭適不能止其行第勸其先防江不聽兵敗以適知建康府沿江制置除寳謨閣待制措置頗得宜會侂胄誅亦奪職奉祠者十三年以寳文閣學士卒年四十七謚忠定詩用工苦而造境生皆鎔液經籍自見天眞無排迮刻鏤之迹豔出於冷故不膩淡生於鍊故不枯嘗點之瑟方希化人之酒欲清其意味足當之

艾軒集

林光朝字謙之閩之莆田人隆慶元年進士任袁州司戶叅軍知永福縣名爲秘書省正字歷著作佐郎國子司業出提點廣東西刑獄徙轉運副使加直寶謨閣名拜國子祭酒除中書舍人以集英殿脩撰出知婺州提舉興國宮卒光朝學於陸子正子正學於尹焞而光朝之學一傳爲林亦之再傳爲陳藻三傳爲林希逸其師友之際如此林俊曰艾翁不但道學倡莆詩亦莆之祖用字命意無及者後村雖工其深厚未至也

攻媿集

樓鑰字大防自號攻媿主人鄞人也登第歷太府宗正寺丞出知溫州光宗初累擢中書舍人遷給事中奏留朱子時論韙之進吏部尚書以顯謨閣學士奉外祠奪職韓侂胄誅復官兼翰林侍講年過七十精敏絕人詞頭下立進草院吏驚詫除端明殿大學士位兩府五年進資政殿大學士卒贈少師謚宣獻詩雅贍有本然往往浸淫於禪禪學之傳莫熾於四明當時老宿如攻媿已不能辨矣

清苑齋

趙師秀字紫芝四靈之中惟師秀嘗登科改官然亦不顯四靈尤尚五言律體紫芝之言曰一篇幸止有四十字更增一字吾末如之何矣其精苦如此

葦碧軒

翁卷字靈舒永嘉四靈之一蓋四人因卷字靈舒故遂亦以道暉爲靈暉文淵爲靈淵紫芝爲靈秀云

芳蘭軒

徐照字道暉永嘉人自號山民有詩數百斲思尤奇皆橫絶歘起氷懸雪跨使讀者變踔憀慄肯首吟嘆不自已然無異語皆人所知也人不能道耳嘉定四

年卒

二薇亭

徐璣字文淵從晉江遷永嘉歷官建安主簿龍溪丞武當長泰令嘉定七年卒年五十九初唐詩廢久璣與其友徐照翁卷趙師秀議曰昔人以浮聲切響單字隻句計巧拙蓋風騷之至精也近世乃連篇累牘汗漫而無禁豈能名家哉四人之語遂極其工而唐詩由此復行曹能始以璣爲照之弟按水心二徐墓誌既不同泒而其詩卷亦各以名相呼有以知其不然矣

知稼翁集

黄公度字師憲閩之莆田人紹興八年進士第一任簽書平海軍節度判官代還除秘書省正字秦檜以公度與趙丞相鼎善不悅小人希檜意論公度著私史以謗時政罷歸主管台州崇道觀初公度赴朝道過分水嶺有詩云嗚咽泉流萬仞峰斷腸從此各西東誰知不作多時別依舊相逢滄海中及公度歸莆趙丞相先已謫潮陽小人傅會其說謂此詩指趙而言將不久借還中都也檜益怒以惡地處之通判肇慶府事攝守南恩檜死召除尚書考功員外郎無何

疾卒林大鼐誌其墓謂詩效杜甫古律格句法遒真洪邁謂精深而不浮於巧平淡而不近俗其悲秋句不知謫仙少陵以還大曆十才子尚能窺其藩否要皆過情唯陳俊卿謂雖未盡追古作要自成一家其言爲差近云

後村集

劉克莊字潛夫莆陽人後村其號學於真西山以蔭入仕除潮倅遷建陽令移仙都嘗詠落梅有東君謬掌花權柄却忌孤高不主張讒者箋其詩以示柄臣由此閑廢十載因有病後訪梅絶句云夢得因桃却

左遷長源爲柳忤當權幸然不識桃弁柳也被梅花
累十年後起至將作簿兼叅議端平初爲玉牒所主
簿奏祠起知袁州累遷廣東運判又奉祠起江東提
刑名對以將作監直華文閣賜同進士出身專史事
尋入經筵直綸省無何以留黃不奉詔用秘閣脩撰
出爲福建提刑初趙紫芝徐道暉諸人擺落近世詩
律斂情約性因狹出奇合於唐人時爲四靈體格後
村年甚少刻琢精麗與之並驅已而厭之謂諸人極
力馳驟纔望見賈島姚合之藩而已欲息唐律專造
古體趙南塘曰不然言意深淺存人胸懷不繫體格

若氣象廣大雖唐律不害爲黃鍾大呂否則手操雲
和而驚飇駭電猶隱隱絃撥間也後村感其言而止
然自是思益新句愈工涉歷老練布置濶遠論者謂
江西苦於麗而冗莆陽得其法而能瘦能淡能不拘
對又能變化而活動蕃雖會衆作而自爲一宗者也

盧溪集

王庭珪字民瞻廬陵人登政和八年第調衡州茶陵
丞拂衣去盧溪築草堂因號焉時胡銓論忤秦檜調
嶺南獨庭珪送以詩語且觸檜坐流夜郎檜死得還
數名對優禮除國子監主簿主管台州崇道院九十

三卒學遂於易著易解見者歎爲必傳會詩獄捕至攜書鐍篋中爲卒所攫去歎曰天厄吾書門人楊廷秀序其詩謂得傳於曹子方出自少陵而主於雄剛渾大此第言其崖岸爾若遺思屬詞未離窠坎使眞氣蒙翳於篇句間亦未免於詩家疵癘也

漫塘集

劉宰字平國金壇人紹熙元年進士歷江寧尉眞州司法泰興令以浙東倉司幹官告歸監南嶽廟累名不起隱居三十年卒謚文清宰以吏事稱而淡於榮利一時朝廷所不能致者宰與崔與之耳詩亦常調而五言古稍優

義豐集

王阮字南卿豫之九江人朱子講學白鹿洞阮從之游慶元初孽臣竊柄附者如市阮未嘗一躡其門晩守臨川陛辭奏事柄臣密客誘致之迄弗徃見奉祠而歸其詩得之張紫薇安國故不爲徒作有義豐集

東臯集

戴敏字敏才號東臯子復古之父乾道間人平生不肯作舉子業獨以詩自適終窮而不悔且死復古方襁褓語親友曰吾病革矣而子幼詩遂無傳乎太息

而卒語不及他其篤好如此遺稿不存復古後搜訪得此十篇鍛鍊精而情致逸此石屏詩源猶少陵之審言也

石屏集

戴復古字式之天台黃巖人居南塘石屏山因自號焉負奇尚氣慷慨不拘少孤痛父東皋子遺言收拾殘稿遂篤志於詩從雪巢林景思竹隱徐淵子講明句法復登放翁之門而詩益進南游甌閩北窺吳越適梅嶺窮桂林上會稽絕重江浮彭蠡泛洞庭望匡廬五老九嶷諸峰然後放於淮泗歸老委羽之下游

歷既廣聞見益多爲學益高深而奧密以詩鳴江湖間五十年或語復古宋詩不及唐曰不然本朝詩出於經此人所未識而復古獨心知之故其詩正大醇雅多與理契機括妙用殆非言傳然猶自謂胸中無千百字書如商賈乏貲本不能致奇貨蓋謙言也吳荆溪稱其蒐獵點勘自周漢至今大編秘文遺事廋說何啻百千家包盱江亦謂正不滯於書乃楊升菴直議其無百字成誦此癡人說夢耳又傳其游江西富家以女妻之三年思歸乃言曾娶婦翁怒女曲解之臨行贈詞曰惜多才憐薄命無計可留汝揉碎花

戕忍寫斷腸句道旁楊柳依依千絲萬縷抵不住一分愁緒捉月盟言不是夢中語後回君若重來不相忘處把杯酒澆奴墳上土遂自投江死今考集中略無蹤跡後人因詩餘木蘭花慢一闋有重來故人不見但依然楊柳小樓東之句乃强實之讀陳昉跋云有忠益而無諂求有謙和而無誕傲姚鏞云忠義根於天資學問培於諸老朱子亦以詩相贈酬使無行至此其得爲大儒君子所稱許至升菴乃發覆耶平生著作甚富趙懶菴選百三十首爲小集觀者謂趙于古少許可而此編特博袁蒙齋又選爲續集蕭學易選爲第三稿李友山姚希聲選爲第四稿葉仲至又爲摘句復古自云詩不可計遲速每一得句或經年而成篇其鍛鍊之苦師友琢削之精故所選得十九焉方萬里曰慶元以來詩人爲謁客成風干求要路動獲千萬石屏鄙之不爲也嗟乎安得斯人一愧世之幅巾朱門望塵獻詩者哉

農歌集

戴昺字景明號東埜石屏之從孫嘉定乙卯登第授贛州法曹參軍有東埜農歌集石屏稱其不學晚唐體會聞大雅音者也集中答妄論宋唐詩體者云安

用雕鏤嘔肺腸辭能達意即文章性情元自無今古格調何須辨宋唐人道鳳篇諧律呂誰知牛鐸有宮商少陵甘作村夫子不害光芒萬丈長知此可與言詩矣

秋崖小藁

方岳字巨山　人紹定間爲別省第一登徐元杰榜進士累遷至吏部侍郎前以史嵩之嗾論罷歸後以丁大全嗾論罷下郡中以賈似道之劾兩調邵武軍以坎壈終身先是范杜左右相得博士之除遷秘書郎宗正丞未幾范去遂出爲淮閫叅議官兼

權工部而一出不可復入矣詩主新清工於鏤琢故刻意入妙則逸韻橫流雖少嶽瀆之觀其光怪足寶矣

淸雋集

鄭震後更名起字叔起號菊山閩連江人早年場屋不利棄舉業更讀書客京師三十餘年歷主於潛諸暨蕭山學晚爲安定和靖書院堂長又開講於平江無錫伏闕論史嵩之淳祐丁未鄭淸之再相震登其門罵曰端平敗相何堪再壞天下被執與子女俱下獄京尹趙與籌縱之鄭罷相乃免與林膚齋周伯弜

爲行輩詩有倦遊稿仇山村選四十首爲清雋集所南作家傳云得詩十五篇此葢流落交遊間者所南未之見也

睎髮集

謝翺字皋羽慕屈平托遠游乃號睎髮子福之長溪人文丞相開府延平翺以布衣諮議叅軍天祥卒亡匿所至輒感哭挾酒登浙江子陵釣臺設天祥主亭隅再拜號哭以竹如意擊石歌曰魂朝往兮何極暮歸來兮關水黑化爲朱鳥兮有咮焉食歌畢竹石俱碎詳西臺慟哭記欲爲文冢瘞之臺南後往來杭睦

間與方韶卿鳳吳子善思齊等厚乙未以肺疾死囑妻劉以文與骨授之方有許劒錄其會友之所名汐社取晚而信也每執筆遐思身與天地俱忘語人曰用志不分鬼神將避之古詩頡頏昌谷近體則卓鍊沉着非長吉所及也

睎髮近藁

福唐黃坤五語余睎髮集近世行本多遺漏曾抄畜二十餘首皆刻板所無余聞之心往恨其不攜行笈得一見也從子恿忠自苕上潘氏抄得睎髮近藁一帙爲發狂喜原集古詩大半此多作近體屈蟠沉鬱

吐茹奇艷皆世所未覩豈即黄春坊所謂與然黄云二十餘首而此編有五十首數既不合且此署晞髮道人近藁當是末年未定殘草别爲一卷流傳人間又非刻本零星遺漏比也然則黄氏二十餘首又不知何詩矣惜春坊云亡不得一質証之此帙附天地間集十餘首即臯羽所編當時諸公詩也按本傳有二卷此亦不完書潘氏藏本爲陸子傳手蹟有題識子傳名師道吳人

先天集

許月卿字太空婺源人後字宋士人稱山屋先生小名千里駒字駒父從董介軒於程正思朱子門人也又受學魏鶴山有志當世入江淮幕中以軍功補校尉詣罷鶚弁就舉制以易魁江東廷對觸史嵩之見抑賜進士及第授司戶叅軍復率三學訟權相理宗目爲狂士歷官府學教授復以上言小相失職相免得留尋改江西提舉常平六年不就既至治政廉肅人號爲鐵符循承直郎浙西運幹賈似道當國以月卿試館職言不合罷去買田宅於姑蘇已而散之歸故里閉門著書號泉田子游從者翕然德祐乙亥欲以月卿開閫東閫未幾宋亡深居一室但書范粲寢

所乘車數字不言幾十年而卒年七十謝叠山嘗書其門曰要看今日謝枋得便是當年許月卿月卿則自比履善甫蓋無愧三仁焉

白石樵唱

林景熙字德陽號霽山温之平陽人也咸寧辛未太學釋褐授泉州教官歷禮部架閣轉從政郎宋亡不仕客於會稽王脩竹英孫之家會楊璉眞伽發宋陵英孫使客收其棄骨景熙得高孝兩函與唐珏所收者瘞於蘭亭樹冬青以識庚戌卒於家年六十九所居在白石菴詩六卷曰白石樵唱大槩悽愴故舊之

作與謝翱相表裏翱詩奇崛熙詩幽宛蛟峰方逢辰曰詩家門戶當放一頭非虛言也

山民集

眞山民不傳名字亦不知何許人也但自呼山民云李生喬歎以爲不愧廼祖文忠西山以是知其姓眞矣痛值亂亡深自湮沒世無得而稱焉惟所至好題詠因流傳人間然皆探幽賞勝之作未嘗有江湖酬應語也不惟吳許上通於天即自命遺民而以詩文通當世者視山民才節亦足愧恥矣張伯子謂宋末一陶元亮非過論也

水雲集

汪元量字大有號水雲錢塘人以善琴事謝后王昭儀宋亡隨三宮留燕後爲黃冠師南歸幼主平原公及從降駙馬右丞楊鎮丞相吳堅留夢炎叅政家鉉翁文及翁提刑陳杰與王昭儀清惠以下廿有九人賦詩餞之後往來匡廬彭蠡間世莫測其去留危太史素謂其長身玉立修髯廣顙而音若洪鐘江右人以爲神仙多畫其像祀之詩多紀國亡北徙事與文丞相獄中倡和作周詳惻愴人謂之詩史鄭明德陶九成瞿宗吉所載錢牧齋得之雲間抄書舊册錄爲水雲集

隆吉集

梁棟字隆吉其先湘州人生於鄂州後遷居鎮江弱冠領漕薦登戊辰第選貢應簿調錢塘仁和尉入帥幕一時聲名張甚旋避地建上丙子宋亡歸武林弟柱字中砥入茅山從老氏學棟往依焉庚寅遭詩禍名益著時徃來茅山建康間江東人士從者甚衆乙已無疾卒平日好吟咏稿無存者門人問故曰吾詩堪傳人將有腹稿在宋遺民之皭然者也

潛齋集

何夢桂字巖叟初名應祈字申甫嚴之淳安人咸寧乙丑省試首選時罷臨軒廷唱一甲三名授台州軍事判官歷仕至大理寺大卿知事不可爲遂引疾去至元累徵不起築室小酉源著書自號潛齋尤深於易學與陳止齋方蛟峰游善詩淳朴不泥規摹之迹而志節皎然有潛齋集

叅寥子

僧道潛號叅寥子錢塘人哲宗朝賜號妙總大師爲蘇眉山門客唱和往還形於翰墨時人因重之陳后山贈序舉其論唐詩僧貫休齊已非用意於詩工拙不足病以是知所貴乃其棄餘可謂善諷矣杭本多悞集他詩今未及與析也

石門文字禪

惠洪字覺範江西新昌喻氏試經得度以冒故惠洪牒責還俗張商英特奏度之郭天信奏賜寶覺圓明禪師政和初坐交張郭配崖州赦還又以張懷素黨繫獄因商英誤也旋釋建炎二年示寂同安五燈會元作彭氏天信爲天民賜號在寂後皆非詩雄健振踔爲宋僧之冠

花蕊夫人

費氏蜀之青城人以才色事孟昶號花蕊夫人太祖平蜀俘入後宮昶敗時精兵尚十四萬宋師止三萬耳太祖以蜀亡問費答詩云云太祖更寵愛之嘗私懸昶像於閣中太祖見訊紿曰此蜀中張仙也祀之有子遂傳畫焉後輸織室以罪賜死尤工塡詞入汴時題葭萌驛壁云初離蜀道心將碎離恨綿綿春日如年馬上時時聞杜鵑調飄奴兒令也書未畢軍騎催行遂止半闋有人續之云三千宮女皆花貌妾最嬋娟此去朝天只恐君王寵愛偏使費能抗節從昶毋此詞不幾爲輕薄惡札哉然審徵奉表寅遜促裝

一女子與十四萬小人又何責也世傳其宮詞百首清新艷麗足奪王建張藉之席葢外間模寫自多泛設終是看人富貴語固不若内家本色天然流麗也王平甫考王恭簡所集云止二十八首然其餘別無可据且手筆一格故仍之按花蕊夫人有二其一爲蜀王建妾號小徐妃者王衍時汙亂爲莊宗所平亦隨歸中國死二人皆出於蜀皆以亡國失身終亦異矣哉

呂晚村先生續集卷二終

呂晚村先生續集卷三

質亡集小序

吳爾堯自牧　同邑

自牧吾黨之第一流也其聰明絶世而未嘗浮露奇智也其篤志正學脩內行而未嘗標示崖異也有文如此塲屋未有識者交游未有稱者而浩然自得未嘗有憫悶之色也其意之所之吾不知其止也今亡矣吾亡以爲質矣吾亡與言之矣○自牧嘗云十五年前讀近思錄直是削淡無滋味今每閱一條輒數日不能舍覺得道理無窮嗚呼若自牧者可謂善讀

書矣○自牧天分之高用心之精吾目中罕見其倫也凡世間極難驟解之事如樂律韻母推步經緯割圖測量之類以語自牧但發其端未有不立窮其蘊者吾曩與度曲倚和管絃相入曲盡微妙嘗於一笙悟聲音假借單和配合之理非工師之所曉也○自牧才情奇巧目前無其儔匹然一意斂約不事表襮作爲詩文不輕出示人與流俗偕處油油然不少自異也然其志識造詣有昔賢所不易及者斯文其後從之言耳

陸之澣宗伯　海寧

宗伯同余仲兄貢於南雍時寇逼都城大司成策問諸生無一應者惟余仲兄首出條對次則宗伯繼之兩生侃侃談兵圖橋門而聽者皆大驚以爲浙中多奇士余兄竟不克展所藴而卒宗伯亦貧死

沈受祺憲吉 嘉善

憲吉家麟溪距郡城二十里自宋迄今十五世矣家有北山草堂山有栝子松九株皆二三百年物其態不一各有名以象之憲吉家世淵遠富而好禮其祠廟爵豆皆古雅而合於則與人交篤於分義而又退讓不近名遠近皆以長者稱之反以此掩其才華蕃

未有知憲吉之深於文者丁巳春余尋知言集佚稾於鴛湖有友言憲吉所藏之富遂移艇子訪之憲吉一見如素恨相見之晚留余榻其齋盡出殘帙酒闌燈灺娓娓不倦乃驚歎其論文之精嚴目前無其匹也憲吉與錢吉士友善其論文宗旨亦與吉士合吉士選同文錄憲吉與有功焉夏五間吳郡變亂欲歸視具舟將行常時鼓柂即發是日下舟復起絮語者數四巳出溪復回舟將所著稿授憲吉曰不欲攜此歸君爲我藏之乃别是夜吉士歸家被亂與其子皆焚死而稿幸存憲吉乃起簡篋中并自所作文授余

曰吾老矣不足以慰亡友之托今且以累公吾文不足傳公遜知言集有節義諸公而失其文者以吾文繫之吾文賴賢者以傳亦吾志也余拜而受之且約余過其北山消夏共商知言集事余以病不果往越一年而憲吉死矣憲吉雖不欲自衒其名然余不敢湮埋憲吉之實因歎北山一會若專爲錢沈二公之文而速余行者非偶然也

張嘉玲佩蔥 吳江

佩蔥躬行刻苦銳然以聖賢爲必可至取師友必眞君子如張考夫凌渝安何商隱沈石長巢端明王曉奔皆正志篤學待之極盡其誠處弟姪宗黨以恩勝

義破其貲產至死無以斂葬不惜也居喪哀毀由中三年不露齒不入閨房妻以勞瘵死里人非笑之以爲執禮所致俗之惡薄如此然即其非笑可以見佩蔥之賢矣○佩蔥年少負儁才譽望日起宗黨交游皆以富貴期之忽謝棄一切問道於吾友張考夫先生篤志聖賢之學刻苦敦行踐履純粹而讀書極精細不肯放過絲粟與考夫問難往返最多遠近學者嘆爲不可及自謂其學無一不得之考夫請受拜至再四考夫閉閤不受余問之考夫曰此吾畏友也豈

敢倨乎且吾惡夫今之講學者以師爲招因以爲利也又何學之有吾與佩蔥一救正之不亦善乎卒不受佩蔥執弟子禮益恭甲寅年三十五與考夫相繼病卒嗚呼道之興廢命也佩蔥適當之顏氏之子豈以短命無書傳有歉於孔門首配哉○佩蔥英年廪餼視榮膴如拾芥且貧困憂患萃於其身一旦志聖賢之學卽敝屣棄之此非見道分明安能無動於中耶一時流俗憎訕之隱者又挾以爲重余笑謂憎訕固其宜若隱者正自不同必好學能文如佩蔥斯爲難得斯爲眞隱耳

陳尚楨有上　餘姚

有上天資和靜厭薄塵俗默坐終日啜苦茶燒黃熟便欲忘老而居家處友又皆篤摯有繩尺斯亦其胸臆間物也○有上以貧死死之際從容談笑不令家人悲啼可謂能有其難者矣乃其配景氏居喪數日絕不露激烈之色默然自經以從之又難之難者也

吳蘩昌仲木　海鹽

磊齋先生大節千古其訓家有云做官不入黨秀才不入社便有一半身分初疑其言過激今而知爲痛心切骨之言仲木奉教志存忠孝勁骨節立見者神

傷惜不永齡以竟厥緒耳

鄭雪坊澄師 海鹽

澄師鴻博俊逸而血性湛摯遇亂與友人之難爲同事所賣受笞辱憤死人皆惜之

程定鼎扶埜 嘉興

扶埜天質英奇風神散澹終日與對無一俗情塵氣壁立蕭然亦不見其有憂思乞態每辰出暮返詣友朋談笑或竟至忘歸未嘗閉戶吚唔而拈筆纚纚風馳泉涌動成奇觀郡中能文之友未能或之先也去年遇之顏色憔悴云犯寒症幾不相見矣余戲之曰

質亡集中得佳文亦復不惡因相與大笑不謂斯言遂成妖夢年來交游零落江湖流下無可與語今又失扶埜南湖斷岸吾悵悵安之耶

凌文然偉燈 湖州

偉燈忠清公長子也忠清之文清微自得爲時所尊躬行嚴毅立朝岸然見惡於權貴甲申之變浙西死國者一人而已偉燈竟以貧死蘆扉土銼其夫人白髮蕭然無有過而存之者斯不獨其文冷於此歎忠清公之人品世德亦只一冷字爲不可及○湖州山水清遠忠清公得之以爲宗偉燈又以明潔繼之皆

著雪間靈氣也

吳士楨正子 德清

正子和易而介與人交皆有尺寸晚年以貧依人處之泰然如游蓬戶嘗爲余述顯者僇辱故人與受者善事無怨之狀歎人情不易測如此正子周旋其間頗多全護他人都不知也可謂難矣

高斗魁旦中 鄞縣

旦中聰明慷慨幹才英越嗜聲氣節義嘗毀家以救友之死有所求不惜腦髓以狥精於醫以家世貴不行至是爲友提囊行市所得輙以相濟名震吳越友

益望之深至不能副則反致怨隙又爲友營館穀招徒侶復責以梯媒關說力有不能得亦得罪於是羣起詬之然旦中意不衰病革猶惓惓於諸友死之日貧不能備喪甇孤寡啼飢無或過而問焉者而詬聲至今未息眞可怪可痛文中抒寫皆肺腑間物激楚悲涼不堪卒讀

郭濬水容 同邑

水容爲余中表羣從崇禎間卽與其兄彥深疇生義潔同負名於時彥深疇生相繼獲雋義潔兄弟鬱鬱不得志水容獨矻矻不少衰余甚壯之而不意其遽

逝也其子孝威盡出所作約二千餘首其文精深博雅絶非近人所能幷非彥深疇生所及乃歎科名之不足論人而文人之湮沒於荒塍寒牖者何限也集中僅存數十首以見其槪亦識余向時知之恨不盡云

裴亮佐靖公 海寧

靖公予女兄之孫也閎博能文早負時譽而生長聲利之區俗以勢位相饕雖至親同氣不免於魚肉靖公思決科以衛門戶而猝不可得則鬱憂以死臨沒盡取所著投之火曰是物誤我其悲憤可哀矣

章金牧雲李 德清

章氏多奇才雲李爲最氣象迥秀如登秋峰其中雲氣怪物瑰麗荒忽不可名狀爲人重名義有幹才乃終於界邑不及中壽眞可惜也其弟芝黄石黄子黄皆才而天世運與域兆與求其說而不得謂斯世不應有此奇文可耳○戊戌己亥閒雲李六象方虎雯若與予同游湖上時雯若有不快於諸子西陵吳門之仇雯若者聞此過從甚殷置酒蕭寺飲酣奉卮曰請謝去雯若顧終執鞭弭隸麾下雲李與諸子毅然起對曰公等自可相與何必去雯若而後交吾輩有

口血自相責耳豈爲公等哉且如公言又何取於吾輩耶乃大慙謝讀君文思當時氣誼風采儼然在目

高宇泰虞尊 鄞縣

虞尊初字元發且中之從申丞玄若公之長子也篤志節善交游山巔濱澨窮歷奇險性坦率不設機備壬寅間以事囚非室兩載治經作詩悠然自得久之乃釋亦無懽容越人笑之呼爲大孟浪云晚年益肆力讀書自號隱學畫一像作幅巾寬博高坐藤床過余索題句余題曰凡今幅巾不耐淡薄望火日游其狀磊落佛門兒孫侯門翼角不知其隱安問其學歸

然此老氷懸雪壓雙趺隱然八字著脚後未或知曩則已確其圖可傳斯名不作又雜書數絶有云募師謁客法堂開眼與眉毛弄一迴君向明山且高坐等閒莫遣下床來小閣攤書木榻枯春風坐對久忘吾閉門休歎無良友只恐開門負此圖時虞尊欲遊秦晋間見余句即毅然自止越人惡余者又謂此罵君耳何贊之有虞尊終不以余言爲非又人之所難也

俞汝言右吉 嘉興

右吉在崇禎間得名三十年來爲檇李領袖其襟度惇龎渾涵非時下猥浮名士所能及讀其文猶足挹

其靜雅之氣

徐廷獻子諤 同邑

子諤與孫子度友善子度極靜漠子諤極粗豪而其文徵雋如是眞能得朋友之益也

鄭官始雅三 海寧

雅三之文其入也如秦始之營驪山至鑿不能傷燒不能毀而後止其出也如周穆之巡海外設鳳腦之燈列璠膏之燭照耀乎羣仙之宮不能深極無際則亦無此奇光外發也○雅三與雯若友善余因識之未久而化其壻王端士錄其遺文見投人家子弟多不能收拾先人藁本如端士者又難得矣

沈 修遠游 桐鄉

遠游任達而好奇信神仙吐納之術嘗辟穀數月日惟啜蜜或清酒數杯而已家人強之旋亦復食然終不近也性嗜潔每浴必數易水以竹紙拭之一浴必用紙刀許適無紙每風立自乾不用巾也篝藥油漬雖新衣必裹指攜取其袖垢膩復割之時衣無袖之衣以對客有姚姓者爲所憎遂并憎凡姓姚者有過客刺入欣然起接遠覗則姚姓也急縮手退避刺已飄及裾即截去其裾其僻如此然行文說書則一軌

於雜閙未嘗爲游移突過之論故與余言頗契自遠游死聲始遠役未返一望桐川荒榛寒雨輙爲黯然也

沈　齡子真　桐鄉

子真遠遊令子聲始之婿也少年篤志嗜學爲人湛靜有至性遠游歿負土營窆有撓之者子真飲泣力拒衝暑淋雨晝夜勞憤旣封而病卒遠近哀且惜之

黄子錫復仲　嘉興

余表兄號麗農豪邁風流以好義毀家至號寒斷火然壞床破壁之中未嘗一日無論心之客也平生最

急友難晚年竟游死粵東幼子沈扶柩歸瘞於杼山老友巢端明爲詩哭之餘輙忘之矣吁可悲也○仲兄風流文采而志趣奇偉破產結客與大樽闇公諸君相期許晚年鬱鬱思以神仙自托而惑於方士行積氣開關之法頗詡得效余力言其害笑而不顧未幾而病始悔其誤則深不可爲矣殆猶未免於神怪之累耶讀文不禁憮然

錢杵季亦駿　海鹽

予友商隱先生明道有盛德而艱於子於羣從中最喜亦駿嘗請遂立之商隱曰其家贍於我不忍其舍

菀而就枯也然亦駿甚賢居家孝友近人而不湼於俗龍山許大辛其外父也苦節違時亦駿左右之甚至大辛死治喪撫孤盡其力此豈較量生產者商隱之言蓋其慎也乃忽以暴疾卒予爲商隱惜又傷大辛之後無依葢三致悼焉

錢本一柏園 桐鄉

柏園初字一士蚤領時譽目空其羣而曾從周鍾游未免漸染習氣嘗言鍾館其家時雞初鳴即起析銖錙作小封無數至晨粥猶未息自午及暮餽贄紛然乃視其厚薄以小封勞來力日以爲率因嘆曰今日

名士安得有此盛事乎余應之曰鍾之敗節戮身成於小封而君猶沾沾耶時柏園適游粤歸同張子考夫過廊如樓以爙子香雞舌香數片見惠且出端石求銘余戲題之曰雞舌四爙子二易數字銘於是柏園不釋然考夫笑曰盍益之可乎余乃復書其下曰者誰氏錢一士讀書不覺老將至何如坐聽郴州語張子命銘考君志君曰一士士何事爲名士耶此石敝爲眞士耶此石棄不數年考夫沒柏園亦病得松陽教授支離强徃竟死山齋平生與考夫爲老友而未能卓然自立名士之害人如此然柏園意致蕭散

至窮餓不知治生相對終日無畀乞之態塵俗之言固非時下名士所能望其項背也

查　雍漢園 海鹽

漢園童年以文蜚聲南國宗黨交游皆以榮顯期之然漢園意殊不自止有志體用之學初惑於二氏旋悟其妄以名世自許復誤於功利之術一反而求之身心又入良知家言力行其說以爲聖人之道在是矣然率其所見往往過當不能無動於中辛亥春聞予之狂言於許子大辛甚疑異適予寓趙家橋陳孟樸齋漢園同大辛見訪遂留榻相與劇論此事所持

甚堅至中夜忽披衣起揖曰廿年之疑於兹盡釋乃大悔向來之過又談竟日而別至冬復過予廓如樓晤考夫商隱渝安晚菴佩葱諸友歸語人曰如遊天外問其說如何曰非爾所知也壬子秋試凡明經例有鄉邑起送文字漢園給家人以赴省竟持劄至予東莊相對兩月而歸此劄至今留予架家人莫之知也友朋聞從義進道之勇未有如漢園者癸丑予至秣陵而漢園與大辛相繼以病卒予數年來喜爲澉湖雲岫之遊自二君歿遂痛不欲東亦吾道之窮也

虞汝翼 異羽 錢塘

異羽長身勁骨慷慨傲岸望之如太華當秋睥睨諸峯莫敢仰附一時名流習爲希世之學突梯脂韋以標榜趨營爲作用異羽獨鄙罵之有名宿於會集詰之曰君何得罵我爲小人之尤者也異羽曰不然其人喜曰固知君無是言異羽毅然正色曰非謂無言但無之尤者也四字耳其人憤沮而去異羽言笑飲啖自若四座驚歎其風致如此竟以貧病鬱鬱而卒近俗益頹敗友朋中求異羽之氣象眞不可復得也

勞以定仲人 同邑

仲人天才曠逸而於理解極邃同社會課每拈一題

雯若諸子必問仲人云何仲人輒爲指陳源流新舊各說之不同復爲剖析以歸於一無不爽然稱善自珍其文不肯輕示人傾貲購書數千金及古今金石書畫下至尊匜瓷玉之玩皆賞鑒精好死二十餘年其所藏無一存者昨從其家索遺稿亦不可得偶於廢簏獲其會課數首亟錄以志人琴之悼云○仲人生業甚厚適覯世變即散家財厚其知交戚屬凡貧士有一技之長賙卹不倦待以舉火者甚衆或浪游湖山則畫船歌妓雜沓如雲酒闌自調三絃與客倚和一時稱絕已而棄去曰是近於狹邪乃學彈琴選

奇材自製聞某寺鐘樓懸紐桐木最良搆樓以易之琴成費已數百金吳越琴師無不造其門者洞究神妙皆歎謝不如已而曰豪矣非我志也買橫山造精舍思深隱其中賓客復從之溪船箭輿沿道爭役但曰請橫山者卽坐徃不論直也仲人曰此將及我不可居乃復出既出而山中果亂因毀損其舊第築幽室植花竹貯經籍其間約予同讀以老蓋至是而仲人生業略盡矣越一年而病卒宗族富貴皆以仲人所行爲痴其後人亦自以爲戒然仲人絶世聰明人也當時卽有問之者曰公郎不取富貴何必爾仲人

嘻然曰是非若所知也

陳祖肇柳津 餘姚

柳津至性誠篤胸襟坦白喜交志行人之人樂道節烈之事遇非其類聞不義之名雖盛欵不能留也嘗館一巨室故仇東林者主人酒闌呼童子輒以東林諸君子之言令其膺喏以爲樂柳津愕然起立謾罵而出家貧資館穀竟棄去勿顧人皆笑其迂其介直多類此

陳鑅西長 德清

西長吾門鏦之兄也陳氏多強頡之資然皆憎疾根

本理義之學獨西長聞其弟之說雖不能為輒欣然信之而竟以疾夭鎩痛其兄之不克有成而他無語也簡其文質我錄之以信其足惜焉

董　楨豫林 同邑

豫林處交游重名義緩急危難以身赴之無所悋斯文亦其流露之餘也

董霊預湛思 烏程

湛思風神開朗才思超逸翩翩佳公子也感遇憂貧遽致殞謝境之困人有非意之所能遣者耶

呂章成裁之 餘姚

吾族兄號蓼園才略俊偉思經世之用遊歷四方晚遘喪亂隱於館穀非其志也然意氣不衰有故人誣詆余於顯者之家蓼園憤甚作棄婦歎以寄余煉師俞體崖亦不平之余答以兩公學道人尚有火氣耶此固余過也蓼園書激昂慨切於篋中簡文字復讀之不禁垂涕

張嘉瑾宣誠 吳江

宣誠為佩蔥之弟為人伉爽有至性佩蔥之喪朋友會弔念其無以瘞孤寡無以生議所以助之者宣誠掩淚毅然拜辭曰有某在豈可以累諸公且兄臨死

囑曰負某友幾錢某友幾分爲我還之吾死乃安推是言也兄豈肯受乎兄所不受而某受之乎卒辭之枝梧困踣心力殫竭絶無潦倒冀乞之意越三年亦病卒悲夫天於志士摧折至此眞難解也雖然適以見佩蔥兄弟之賢亦復何恨

沈　昶扶升 同邑

扶升生而韶令爲時所稱而以疾早殞其婦薛秀淑而有孝節其姑有女贅壻溺愛之不欲立後且憎薛往依母家則貧不可處困苦不堪者久之遂病瘵其夫撤几筵即靚妝謝親族而死親族之知者泣慰之

薛謝曰諸親當賀我不必慰也問故曰我年少爲未亡人得早死一幸也家中多難言死則潔身無累二幸也夫坐方除即隨往九原無他牽掛三幸也但不能奉事兩姑視死者入土負吾父生成之恩爲耿耿耳然死之樂爲多一時聞者皆賢之予錄扶升文亦爲存其婦也

錢魯公漢臣 鄞縣

余庚戌冬爲旦中葬事過甬上獨漢臣一見投契依依不能舍未幾聞漢臣死余病不能復東徙負漢臣也

曹　序射侯 同邑

崇禎時射侯叔則爲蘭皐社與余社友不相契然余兄弟與射侯兄弟獨相得於塵壒之外不以樊籬間也思當時蠻觸之徒固不直晉人之一吷

四兄念恭 諱翟良

崇禎間社盟聲氣閧然互競吾兄獨不屑一顧然各社名宿及四方鄉黨無不敬而親之若明道之能化物也故其文多自得之致

呂淑成幼陶 餘姚

幼陶余族兄俶儻多材試輒壓衆而生非其時不勝感憤以飲酒消之已而漫遊四方又無所遇益縱酒自放以飲得病愈病愈飲至不能飲而卒悲夫

范汝聽鄰音 同邑

鄰音余内兄子也湛靜善文補邑博士家貧資館穀又勤於生產二者不能兼營徃徃兩廢淸坐破屋中吟咏不輟意亦不苦也年三十餘遘勞嘔血疾革自經紀喪事至蔬果屨箸織屑皆手定余曰兄用心至死不悔答曰我不爾亦詎得活耶放筆捲卷就枕而逝

徐　鋒次公 同邑

次公吾師第二子與余同筆硯二載人多畏其傲岸

孤僻實皆天眞爛熳也以悶悶不得意嘔血而死每過其居輙凄然久之

章在茲素文 吳縣

素文得名最早此猶其崇禎間社刻也自辛卯壬辰以後清音選本行天下每行卷房書出各省賈人先納值坊間必待清音乃去坊人具幣聘盛供給每部數百金有時序文目録既發矣而爲家人婦子所留又必厚餽劇讌而後得葢選家之盛自周介生范文白以來未有能及清音者也然二十年間軟熟浮滑之文庸鄙荒劣之選亦日滋月蕃豈風氣遷流雖素

文固亦有不能自主者乎

管諧琴襄指 餘姚

襄指多逸情以氣節自命亂後棄業隱於教書又以拘牽爲苦性嗜酒每飲必酣遇人無機事然不屑流俗故人亦少近之喜爲詩文無家可藏隨地散軼嘗有傷師道篇夢伯夷求太公薦予仕周詩等作曲盡猥瑣僞妄之情狀爲時所傳誦予嘗見其手定十餘本今皆不可得不知流落何處也

錢行正孝直 同邑

孝直生而穎異年十三即能文爲邑諸生氣英銳有

遠志不屑一切從予遊予每抑之令自下其尊人子與予老友也暮年氣衰門庭蕭寂急欲得其子之發揚有友謂之曰守腐儒言必敗乃事盍從吾說可以速得志於是轉爲標榜作用之學數年而無所得其境益困孝直悔悟作詩曰固知朽斷還求匠豈忍膏肓不謁醫將復過予也不數日而病遽不起垂絶猶爲其父兄道予不置處分身後事井井當於理神明瑩然至瞑不亂予之不能使孝直有成罪也夫命也夫

章允增能始　德清

能始雲李之叔初緣社集與東倫不契此其試牘也爲方虎諸友稱賞知名於時乃捐棄夙故更相欵洽閱此憶臨溪讌集已二十年事矣

韋家秉白孫　武康

白孫爲吾友六象長子妙齡超詣其文卽老成如此同社皆以千里目之惜乎不永年碎此名寶

陸文霦雯若　同邑

雯若見余文揶揄謂子是宋人文字宋人議論繁不如漢疏高也余笑曰憑君漢疏高也須喫宋人議論乃定一時戲謔在耳憶之不禁愴然雯若文實高余

不能及也

凌　尹銘功 同邑

銘功予表姪也才而夭婦王氏少寡無子宗族無可依者而志不更索其文流涕出之篋衍爲人子孫多不能存手澤況無後之寡婦乎此可重也

朱　輔伯揆 同邑

伯揆與余兄季臣友善崇禎間嘗數至余齋論文娓娓忘疲性惇龐和易不知世間有機事而文獨變幻如是初好爲博雜之學晚年喜談道多入良知之説龍蛇無家其諸此文之見歟

史宗遴培因 海寧

培因館於豐氏余乍面即鑒其才適里中有疑獄培因作文以論之遂爲怨家所訐幾至困殆其直諒不顧機網類如此

祝文琛魯來 海寧

雯若極稱魯來之才予因與之熟蓋蕭爽歷落人也自悲壯盛不遇多激昂不平之氣語有不合輙面折之雖鉅公尊宿攝衣登階直詆其非如呵斥市兒見者皆駭然亦無不服其勇也

呂晚村先生續集卷三終

呂晚村先生續集卷四

保甲事宜 代邑侯劉諱佐明作

告示

石門縣爲嚴飭力行保甲等事奉院道憲票卽將鄉城保甲逐戶挨查如有容留來歷不明之人及爲逃盜窩線接引者查訪得實定行按法連坐仍具册報查等因奉此合行曉諭爲此示仰通邑知悉奉憲保甲之法最爲今日良圖有司官立意舉行然往往不見有益者皆由胥隷不體上意種種故套無益于事徒擾民閒百姓未受保甲之利先受保甲之害誰肎

樂於奉令者卒至逃人盜案日起官民胥受其害胥隷亦拖累其閒此無他皆奉行不力之所致耳今本縣與爾民人約務體憲檄所以力行保甲者其要有三一在于簡便易行一村之中燈火相照音聲相聞者結爲一甲不必拘定十家編牌造册不必盡開年貌及女口老幼其眞實工夫全在暗相稽查本甲中有面生可疑之人來家否有本人無故常常出門不回否有則密報擒究其向來月結季册十家門牌等項徒費紙劄徒勞奔走一槩不用所謂簡便易行者此也一在於舉報得人保甲正副得誠實老成之人料

理一村公務各衛身家各備器械一家有警衆家合救一村有警衆村合救未有不濟者如不得其人虛應故事假公濟私反爲民害今卽着向年丈量圩長公舉本圩保甲正副務期誠實老成才幹服衆所謂舉報得人者此也一在於督率有方必須釘支河以遏奔突立橋柵以扼要害置器械以資堵禦派廵守以固關防明賞罰以齊心力勤稽察以清亂萌歲時伏臘相爲聚會說好話講好事有些小爭端從中勸息此中省了多少錢財消了多少仇氣一旦有事自然如臂使指所謂督率有方者此也爾百姓果體此

三要行之未有不盜息民安者方與憲檄力行保甲四字無媿矣

石門縣爲曉諭事照得四郊多警風鶴不時本縣特頒行奉憲保甲三要總爲爾民安全至計此法通行寇盜難侵兵捕不至近鄉遠村皆得安居樂業今查爾民尚多遲延觀望未盡力行皆因大窩奸線不便其私多方詭惑致生疑沮大約巨室則畏事自全窮民謂恃貧無恐遠賊處偷安倖免窩盜者抗法藏奸不知燒劫之慘巨室先受其殃勦捕之騷窮民盡罹其害無盜之地正宜未雨綢繆近賊之區急當奉法

遠禍倘再因循不舉一時兇徒突至爾等無援無備勢難堵拒或至驅脅入夥屯聚爲巢無論被賊殘抄身家不保即大兵會勦盜多竄遁之方民無逃避之處旗麾所指玉石難分到此求全悔之晚矣本縣爲爾民輿念及此臥寐寒心爲此再行曉諭更將前須三要斟酌申明開列於後期與爾民實心奮力亟速行之

一申明舉報得人

舉報向憑都啚遞年多非本圩中人安知本圩中事今着重丈量圩長者不過因圩長習知本圩人戶庹幾舉報得人圩長可充即充之如圩長不能即着圩長會同通圩公議圩中誠實有身家才幹

者充本圩保正保副原非坐定圩長爲保甲正副也況保正保副止爲料理本圩人戶並無意外役擾抑且官府優以禮貌免其雜徭即任事日久不妨另議更代必無永遠偏累之患爾等各圩毋自疑滯速速會議取具保正保副姓名甘結編册報縣以便委任施行

一申明簡便易行

原須册式原以住址附近聯爲一牌但每牌必須設立牌長保正副管一圩人戶牌長管一牌人戶牌長覺察十家保正覺察衆牌長方有責成如臂指易使今特設保甲編牌册式保正副即將此册挨戶編造一牌十家爲率寧少無多自相互結就本牌中選擇老成有才幹者爲牌長不論次序牌中人戶悉聽牌長查察調撥如有不軌之人十家不肯結入或結後發覺者牌長即報保正密報本縣法究

一申明督率有方

憲行橋梁水陸設栅填釘支河置備器械等項向來保甲通行在案歷有成效原非新設今務實心整飭其橋跨兩岸兩圩均派公造毋得互諉栅木務宜堅固毋得苟且塞責填釘支河即取就近沿河雜樹不許伐人墓木器械必須精利可用毋得虛應故事俱限日取具完工日期結狀呈繳

以上三要即就前法申明其間事宜別有規條十四款詳示令爾民人人通曉易行如更有流言阻撓及圩中頑抗不遵者即係窩線保正副指名呈報定以通盜治罪毋更怠玩自貽伊戚

石門縣為申嚴保甲等事本縣叠奉憲檄督催保甲期以弭盜安民業經再四曉諭赴此東作未興之際協力舉行繕結完固庶可望將來之綏輯豐登為此

通行闔縣各圩立限取結編册聽候查驗又思圩地大小不等烟戶多寡不齊其圩小戶少者或數圩可歸併一副圩大戶多窵遠星散難稽者一圩可分為二三副悉聽爾民會同酌議便宜詳具甘結造册呈報册紙用第二次須定保甲編牌册式限五日一體完繳其橋梁有緊要處必應設栅者亦有重複幽僻之橋可拆斷不必設栅者其河港有必宜填釘者有宜留水栅啟閉者亦聽爾民公酌長便限七日內一體填釘置造完備整辦器械務期精利候本縣示期親臨勘驗如有頑梗者保正呈稟枷究若過限不具

結册不釘港造栅備械該役重責卅板即帶保正保副回話甲中如有素行不法恃强不悛者不許混結入册以憑法究倘有因荒鼠竊情實可原真心悔悟者許保正查驗的實取具親族鄰里保結報縣即准入册自新從前過犯槩免誅求自通行之後仍有抗延不結甲地方此必盜賊之老巢窩線之積穴宄徒盛而良民少欲行不能欲報不敢此非可以法制化誨者矣本縣即會同駐防請兵進勦掃清亂萌以保安良善法在必行毋更怠玩自悞

石門縣爲保甲既行亟設法賑飢以安民生以弭盜

源事照得盜賊竊發皆借飢荒兩字煽誘良民鄉愚無知被惑亦多出于無奈若得升合苟延誰甘冒死爲賊本縣所以力行保甲之法一則可以清查盜黨一則可以賑濟飢民蓋保甲不行雖有賑米各鄉無奉行任事之人從何給散貧戶憑都啚開報欺弊多端每每豪强冒濫烹分眞貧不沾顆粒今保甲既行則保正保副即可任事給散開報貧戶通圩從公酌議必然眞實無欺此保甲之法所以不可少緩須臾也但思賑米無出則法雖良而實惠不及何以禁其流亡消其惑亂本縣現在詳議申請督撫各憲設法

捐施外特瀝誠懇告鄉紳巨室仁人長者樂善義助每見齋僧捨佛動百盈千徒飽奸邪之腹尚且稱爲善事若此救鄉里之生命其爲現在功德獲福無量豈不更可信耶一面着各圩保正副作速編甲造册既就册中查酌極貧應賑人戸男女老弱病苦無依者備造一細册呈報不許狥私冒濫以憑計米給賑其本圩殷厚之家即着保正副委曲勸募若使窮民離散富室誰與守禦抑且田地抛荒租粮後從何辦況此輩逃亡必爲匪類村有線道虛實盡窺亦大家之憂也誠使温飽者各損口糧拯濟鄰里感恩報德

保護必堅以義爲利人豈無心度本圩輸賑所不足者以官施義助補之支吾至麥熟蠶收貧富皆安枕無虞人和氣洽必且感名豐登矣此在情理之相通非法令之可強惟有心有識共圖利之本縣手額以竢

保甲編牌册

字圩第　　牌　保副　保正　牌長

一戸　男丁　業

一戸　男丁　業

一戸　男丁　業

一戶　男丁　業

一戶　男丁　業

一戶　男丁　業

一戶　男丁　業

一戶　男丁　業

一戶　男丁　業

一戶　男丁　業

每牌十家為率如少一二戶不必補湊如多分為二牌婦女孩童不必載同居男丁十五歲以上逐名填寫戶丁有增減出入遷徙牌長皆登記每月初一日填寫一張送保正彙記以憑不時查點

保甲規條

按保甲一法為綢繆未雨之良圖實守望相助之遺制不惟弭盜戢亂實可善俗維風查嘉湖地方盡屬水鄉與他處有堡砦關廂可守者不同港汊叢雜漾蕩迷茫飄忽去來無從攔阻所以向來萑苻嘯聚時煩勦過究竟難斷根株自康熙元年奉前院頒行保甲六款深中三吳利弊舉行未遍盜賊濳消前督奉行嚴肅擒盜即斃杖下積患立時平定幾二十年民生安堵皆保甲之功也承平日久人怠法弛兼值災荒乘機蠢動若不脩舉已效之猷何以剪除難圖之蔓本縣特訪縉紳先生袍衿耆宿將前憲原法參詳

商訂酌議得保甲規條一十四欵詳明開列皆簡便易爲與爾民熟講而力行之但愚民狃安畏難狥私玩法可與樂成難於謀始特將此法行與不行利害先爲分別曉諭以期决擇勇遵毋忽

實行保甲之利有八

盜不入境殷戸得保貲財貧家得保妻女一也地方無賊則無會勦兵馬之驚騷二也凡事有保正牌長奉行不差捕役擾害三也早晩廵查覺察併偷竊潛消可使路不拾遺四也甲中有事互相勸化省口角官司五也民不逃亡失業農桑日盛六也講究惇睦緩急自相賑濟七也民强則盜弱勢窮心悔漸可化頑爲良八也

不行保甲之害有八

被刼被佔民不聊生一也富室畏盜遷徙他方窮民益無依賴二也窮民無可遷徙只得開門納盜事敗連害三也捕搜兵勦玉石俱焚四也田地抛荒久遠難復五也租息難徵錢粮無辦還與不還貧富同盡六也一村失事累及各村一鄉失事累及通縣并及官長七也嘉湖會勦俱本鎭汛兵尚有地方官紀律若蔓延大勦必請外郡客兵及滿營八旗如向年絡

金台處等府屬邑之民骨肉不能相保八也

保甲規條十四款

一畫港分界

保甲地界當論村落不論都啚都啚止係徵粮戶籍與民居住址無干向來止據都啚行移所以秖成虛應故事毫無益於地方今實心舉行不必復問都啚但就各圩扇挨次編結須相度地勢圩大者一圩爲一保圩小者或兩圩或三四圩合爲一保總以四界河港可分可守處與保正才力可管多管少聽各圩保正互相斟酌區畫爲界

一報保正副

向來開報保正保副俱責成都啚遞年甲首克辦或身居城市而籍在鄉村或住址西郊而册當東里或人止一戶而產分各區既非本圩之人安知本圩之事所以保正不知甲內情形地方不知保正調度不過答應官府造一套沿門册籍具一紙甘結遵依應一次點名散牌泒一番公費使用而已自康熙元年前院須行六款不論都啚界限惟取本保中人選當正副然後其法得效今卽責令丈量圩長會同合圩公議圩中信服之人一正一副不論紳衿士商但取

有身家有才幹老成練達者限日具結開報甲內之事盡以付之聽其調度官長優加禮貌特免雜徭如勤勞日久願退者即圩中復議更代之人不得永遠偏累其人若不堪不法等事許通圩呈官另議

一編選牌長

保正保副既定即令挨戶編牌造册每牌以十家爲率寧少無多即七八戶亦編一牌不必補湊足數如過十家以上即分爲二牌就一牌之中不論次序不拘年齒但選幹才老練者一人爲牌長一牌中事盡責成之凡施行公務保正副傳牌長牌長分付各戶

其十家中有事舉報牌長牌長報保正副保正副報官臂指相使呼吸相通故牌長極爲緊要其戶丁凡成丁者俱載册婦女孩兒不必多載其間有親戚往來或戶丁出外生理者即着牌長登記册內每月朔望送保正副查察黠拐倘有隱匿奸細私通寇賊講餉窩贓來歷不明踪跡可疑者一家不報十家連坐有向行不法甲中不肯結入者即係盜夥報官擒禁五日無親屬保結立寘重典

一塡釘支河

向來奉憲須行凡支流小港盡行塡塞更加叢樁大

木一概不許開通其小民往來城市大路亦行釘柵但容一小口通舟仍置木牌鍊鎖日開夜閉着地方保正每柵撥鄉勇五人看守遇警即關防守禦等語因承平久廢今仍行築塞務期每港兩頭塡釘樁寔土厚令不可起發此治盜之要策也

一設立橋柵

嘉湖水鄉散漫無險可守凡賊人經過水陸必由橋梁橋梁即險隘也上下設柵處處關防一遇有警各村把守雖有大隊械船豈能飛渡即使逐柵攻打亦可阻滯寇鋒令各圩得援救追躡故此法爲保甲要

務凡有橋梁除重叠幽僻可廢之橋即拆斷不必設柵外其餘通行緊要之橋橋上設立柵門橋下設立樁柵各用鍊鎖早啟晚閉橋跨兩圩兩圩保正公泒共造不得互相推諉其要害之橋仍設管柵一人即近柵居住者專司啟閉保中量給守夜米若干夜中有叫柵者非緊要公務不許開放如有警急另泒閒丁守禦橋在空野四遠無人者於橋下公築土室一間以安守更之人

一置備器械

康熙元年奉憲須條約有備器械船隻以資防禦一

款內載年來悍弁刁捕凡遇民間家藏一鎗一刀便指稱通盜所以民間視爲禁物大家廢棄惟求乾淨生涯以致盜賊衝突惟有望風逃竄若欲責其張空拳冐白刃以素不習兵革之人禦兇鋒毒焰葢又難矣且弓矢鳥鎗刀劍等物民間原許備用本朝定鼎以來從無禁約況當此盜賊充塞之時若不令民間預先備辦是保甲之法雖行而防禦之實仍未得也今編甲既定卽令各備器械農隙之時保正率令嫺習內中保正副甲長隨身器械尤宜精利聽保正不時看驗再令保正各備雙櫓快船四桿小船俱編字

號遇警應援等語在案因承平日久皆易犢買牛今宜仍遵前法令其亟行置辦精利器械如本地所無者許保揭稟官給牌驗往買庶不虛應故事

一訓習策應

一圩之中聽保正遴選其人地大戸多者三四十名地小戸少者二三十名各聽保正訓習帶領巡察策應此數十名於册內另註巡察二字不入牌內派役約聞號鑼或號鏡則此數十名先急赴保正家伺候其各牌人戸俱持械謹守各自門戸聽候賊犯其處的信保正傳牌長撥令救援方許出門不許亂竄奔

走卽撥救牌丁一牌中止撥一半出救一半自守本牌自行輪流不得一齊亂竄

一守望傳警

賊信緊急要害橋栅卽於附近各牌每夜輪流五名看守各置竹柝更鑼號銃泒更廵警不許托故推諉如有眞病凶喪等事牌長驗實另撥一人替代記册他日仍令替補還之保正保副不時廵行稽察如有頑抗不到及暫到潛歸者牌長舉報每作弊一夜罰做工五日若牌長不報保正副廵知并牌長同罰五工遇有賊犯栅五人卽協力堵禦隨舉號銃一聲附

近各栅亦接銃一聲令保正聞知卽舉銃二聲廵察人齊赴聽用舉銃三聲合圩牌長各撥丁赴救不到及後至者從重議罰其有暗通奸細訛傳誤事者送官刑審正法

一臨敵救禦

賊犯一牌鄰牌卽行救援抵敵保正副督率附近各牌策應堵殺如有退縮者罰銀若干逃避者以通賊論能殺賊傷賊者賞銀若干其奮勇力鬬被傷者賞銀若干仍公家醫治退走被傷者無賞被賊殘害者給棺盛斂仍周恤其家

一擒送盜犯

向來被盜之家獲盜之人一經送官體難速結六問三推遷延時日因而巨窩大線串通蠹捕賄囑營放或反誣告失主或反罪擒送之人每每大盜未經授首被害先已罹殃失物却又遭官獲盜反以累已所以見眞贓而不敢認遇眞盜而不敢擒養成勢大究竟貽害官長查康熙元年憲頒第四款內載保甲既行可以不假兵捕不訴官司地方力行嚴拿呈送即刻嚴刑法斃等語在案今後盜犯除當場殺死不論外其擒獲眞盜眞線審實取具地方甘結或杖或枷

立寘重典不更展轉張皇以致淹留漏網上無盜案之罣累下免會勦之驚騷賊徒震慴日就駭散矣

一公設費用

凡置柵木鎖鍊器械船隻及守柵訓習飯米等項計無所出必須保中公派保正副會同通圩估計須用若干按戶酌議上中下分等果有極貧分文不能者即令做工退筴老弱孤寡并不能做工者公議免之其不在保中而田地在本圩者亦計産派助有向居本圩而今還城鎮者亦照戶均出其有好義大家格外施貲及保中犯例應罰者保正副收貯登冊即爲

公用以省衆力設立簿籍支銷歲終會同各牌長總筭如有借端存私科索者通圩呈究

一禁止擾害

凡地方既編甲造栅即給示禁止一應兵丁捕役非奉文知照不許擅入騷擾其或他處案發牽連保中之人亦但飛稟與本圩保正保副牌長令其自行擒解審理不許擅徃提抄株連詐害倘或盜犯兇强保正副不能擒解者寄報本縣方遣捕兵協拿庶地方不至擾害

一鄰圩互援

凡賊犯某處本圩自行堵禦其隣圩即當救援若賊來之處任意放行賊去之處不行追截者呈官究論凡救護鄰圩止保正副率巡察之人徃援若賊多人少方撥附近牌丁出栅其餘牌中人戶各謹守本地橋栅無得輕動以防賊人詭計突犯

一招徠向化

盜賊半爲飢寒所逼又因無法禁制橫行無忌是以脅從嘯聚今保甲通行其勢日蹙殄滅易易但念因荒失足未必盡屬窮兇且各憲好生久開一面之網果有眞心悔悟者許保正副查驗眞實取具鄰里及

親族甘結報縣卽准與入册自新不更誅求前罪向來盜賊盤踞巢穴若肯遵法結甲驅散宼徒亦概免勦究一經洗刷盡是良民毋執迷不悟也

以上各款每保正副各給一本令其與各牌長講解明曉各牌長又與各戶丁講明習熟臨事方無差誤本縣不時親行廵訪倘保正副漫不遵依或奉行不實或講究不明不熟以致差悞者定行罰懲另議正副其中事宜尚有細微未盡當因法增修者聽各保正副酌議揭報本縣虛心採擇總期歸于盡善實有益于地方而已鉅公賢士勿吝教之

更有一條雖不關保甲而實爲保甲之要原然必保甲成而其事可行者賑濟是也思盜賊之起多廹于飢荒卽有叛亂之民亦必挾此以煽動愚民若得賑濟以安其生誰甘冒死爲賊乎查賑濟之法莫善於就各地方散米如往年石邑紳士長者所行已有成規但闔縣廣遠各區苦無任事之人則奉行不實且開報貧戶必多豪强冒濫眞貧不及之患今旣行保甲則保正副卽可任事奉行而圩中貧戶開報必然公確且各圩互相勸輸睦鄰以同捍盜賊卽溫飽者

亦深受其利若貧民逃亡富室必無孤立保甲之勢此吾所謂保甲成而其事可行也但貧戶多而溫飽少勢未能相濟本縣現在酌議上請於院司各憲設法施賑次告於紳衿士庶之好義樂善者各助餘粟以活遺黎則盜賊自然消散而巨室良民俱獲安全豈非保甲之要原耶是在仁人長者與有識之士共相勸勉非法令之可施本縣惟禱祀而跂望之耳

附賑飢規條

先着各圩保正保副公同各牌長開報圩中極貧應賑人戶務期公確不得狥私冒濫或真貧遺漏或虛揑丁口等弊查出罰賑米若干

其貧戶除本人壯丁可傭工負販度日者不給外其老弱病苦男婦逐名上册勿漏勿虛

先期該圩保正保副持募助賑米簿於圩中溫飽之家勸募施助曉以救活鄰里真實功德隨其發心量力多寡書完保正副總計貧戶若干本圩賑米若干彚報總數其不足者於通縣公施賑米內發給

貧戶數開定即編號造册每戶給與賑票一紙收執聽候示期於附近公處給賑貧戶齎票領米每十日一給主者驗票即發發過一次票上即用一圖記其

票仍付貧戶收執以便下次齎領戒勿遺失

凡開報造册給票必用保甲編牌册內原報姓名不許更換名號如與册內姓名互異者即係虛揑鬼名不准給發其男女丁口亦俱細開名字以憑查考不得空填數目

給發公處擇取附近菴觀寺廟門徑可容多人者或數圩同發或一圩獨發但取近便爲主一圩獨發則保正保副自行散給若數圩同發則擇一方中賢能紳士長者主之如圩多人衆一方無可主者則請佐貳官長主之

先期數日出示知會的於某日給散某某處圩賑米在某處地方聽候唱名驗給先一日將賑米載至其處至日主者寅早齎坐册至公處親自看驗米數較準升斗令一人司唱名驗票一人司筭數發米主者親自用圖記每發一戶米册上票上各用一圖記原票發與其有不到及錯悞者即註册內偶失賑票者許稟明驗實補給册內註失票補給字已發過幾次等字

呂晚村先生續集卷四終

圖書在版編目（CIP）數據

呂晚村先生文集/〔清〕呂留良撰.—北京：北京圖書館出版社，2003.2
（中華再造善本）
ISBN 7-5013-2026-8

Ⅰ.呂… Ⅱ.呂… Ⅲ.呂留良（1629~1683）—文集
Ⅳ.Z424.9

中國版本圖書館CIP數據核字（2003）第004151號

書名　呂晚村先生文集（全四册）
著者　〔清〕呂留良　撰

出版發行　北京圖書館出版社（100034 北京市西城區文津街七號）
Tel:（010）66126153　Fax:（010）66174391
E-mail:Btsfxb@publicf.nlc.gov.cn
Website:www.nlcpress.com

造紙　華寶齋
印刷　杭州富陽古籍印刷廠

開本　八
印張　一〇一·二五
版次　二〇〇三年二月第一版第一次印刷
印數　一-五〇〇

書號　ISBN 7-5013-2026-8/K·487
定價　二四三〇圓